Le sort de Fille

DU MÊME AUTEUR

Helen avec un secret, nouvelles, Leméac, 1995
Long glissement, poésie, Leméac, 1996
Le désarroi du matelot, roman, Leméac, 1998 ; Bibliothèque québécoise, 2002
Dée, roman, Leméac, 2002

MICHAEL DELISLE

LE SORT DE FILLE

nouvelles

LEMÉAC

L'auteur remercie le Conseil des arts du Canada pour son soutien financier, ainsi que Mesdames Lise Tremblay, Monic Robillard et Alexandra Bolduc pour leur travail de lecture.

Leméac Éditeur remercie le ministère du Patrimoine canadien, le Conseil des arts du Canada, la Société de développement des entreprises culturelles du Québec (SODEC) et le Programme de crédit d'impôt du Gouvernement du Québec (Gestion SODEC) du soutien accordé à son programme de publication.

ISBN 2-7609-3269-9

4609, rue d'Iberville, 3e étage, Montréal (Québec) H2H 2L9
Dépôt légal – Bibliothèque nationale du Québec, 3e trimestre 2005

Imprimé au Canada

LA MALADIE DU CÉLERI

Comment expliquer à Gaétan Roy que le fromage est à ma mère… Il y a des choses dans le frigidaire qui sont à elle. Le yogourt. Le *lemon curd*. Le beurre d'érable. Le fromage jaune orange. Ce n'est pas une règle dictée mais s'il manque une tranche de fromage, elle va bougonner et elle pourrait même se passer de déjeuner pour me faire sentir coupable, goinfre, safre.

— Moi, je vais me faire un sandwich au beurre de *peanut* avec confiture, lui dis-je en espérant qu'il suive mon exemple.

Il referme le frigo et hausse les épaules. Un jour, j'aurai peut-être son flegme, son rapport au monde plein de confiance, sa sûreté. Gaétan ne s'énerve jamais.

Quand il m'a proposé de faire les vergers de Rougemont avec lui, j'ai été tellement enthousiaste que ma mère n'a pas pu dire non. Gaétan est mon coéquipier en bio 422. Il a deux ans de plus que moi, il me dépasse d'une tête et je n'aurais jamais imaginé qu'il puisse avoir pour moi quelque sympathie. Il viendrait dormir chez moi. Et nous nous lèverions aux aurores, lunch en main, prêts à aller nous faire, pour une seule journée, vingt peut-être même trente dollars. De quoi payer les cigarettes jusqu'aux fêtes.

Avant d'aller au lit, nous beurrons nos tranches de pain en prenant soin de ne pas déchirer la mie blanche et souple. Nous rangerons nos sandwichs au frigo et, au réveil, nous n'aurons qu'à avaler un café et une toast ; le dîner sera déjà fait, déjà emballé.

— Avez-vous des sacs à lunch ? me demande-t-il avec son sandwich à plat sur la paume.

— Non, on prend les sacs du Woolco.

Il hausse les épaules et je bénis son indifférence. Je ne supporterais pas ma honte s'il faisait un commentaire sur nos habitudes de misère.

Nous déplaçons mon matelas et le mettons à côté du sommier pour que le lit devienne double. Je prendrai le sommier et Gaétan aura le matelas. Nous aurons chacun notre place, nous serons proches et nous pourrons parler jusque dans la nuit comme si nous partagions la même tente. Je veux qu'il me dise tout. Je veux tout savoir d'avance.

Les mains sous la tête, Gaétan raconte ce qui nous attend. Un autobus nous prendra au coin du chemin du Tremblay. C'est gratuit. C'est la compagnie qui exploite les vergers qui l'envoie. Ils passent expressément pour la main-d'œuvre occasionnelle dans les périodes de récolte. On a une petite heure de route à faire. Quand on arrive là-bas, on cueille, on est payé au panier, et on repart. Personne ne pose de question. L'autobus passe à six heures et demie pile. J'écoute chaque mot. Il sait tout.

— Si on t'envoie aux céleris, dis non, me prévient-il en se retournant soudainement vers moi.

— C'est pas des pommes qu'on va cueillir ?

Pas loin des vergers, m'explique Gaétan, il y a des champs potagers. C'est à cinq minutes de tracteur. En débarquant, le dispatcher fait des équipes et il est fort probable qu'on soit envoyés aux pommes, c'est le temps des pommes, mais il y a aussi des champs de laitues. La laitue est éreintante parce qu'on passe la journée penché. Si on est envoyé aux laitues, on en a pour deux jours à avoir mal aux reins. Ça passe toujours. Mais il y a les céleris. Il faut refuser de faire les céleris.

Un ami du frère de Gaétan a fait les céleris une fois et il s'est ramassé avec une sorte d'eczéma sur les avant-bras. Il s'est gratté au sang. Les rougeurs ne sont pas parties avant une semaine.

— C'est la maladie du céleri, conclut-il. Évidemment que le dispatcher te le dira pas. C'est pour ça qu'il faut insister pour les pommes. T'as pas peur de grimper ?

— Ben non !

Je n'ai qu'une idée : je ne quitterai pas Gaétan d'une semelle demain. S'il fallait qu'on m'envoie aux céleris, je n'aurais peut être pas le courage de refuser devant le groupe. Je veux monter aux pommiers, remplir des paniers, ou même rester en bas pour attraper celles que Gaétan me lancera. On va faire une bonne équipe. Je lui obéirai au doigt et à l'œil et je n'aurai pas de problème.

— Est-ce qu'on a le droit de travailler en équipe ?

— Tant que le superviseur est pas là, tu fais ce que tu veux, me répond-il. La seule chose qui compte c'est le nombre de paniers. Plus t'as de paniers, plus cher tu gagnes. As-tu une cigarette ?

Nous partageons une *Export A*. Je mets un cendrier entre nous, sur le drap. Je fume, couché sur le ventre, excité par le programme, essayant de tout mémoriser pour me calmer, pour dompter la nouveauté. Une journée dans un verger de pommiers, à la campagne, c'est tellement loin de moi. C'est comme un rêve. C'est une autre planète. Je demande à Gaétan ce qu'il compte faire avec son argent.

— Payer mes dépenses, répond-il.

— Moi aussi.

Gaétan arrive à faire des ronds de fumée. Des ronds parfaits. Il dit qu'il va faire beau demain. On est chanceux.

Je ne dors pas. Je ne somnole même pas. Je suis trop excité. Mon pied gigote d'impatience. Je regarde le reflet de lumière sur le mur blanc devant moi, une lumière froide qui vient de la lune ou d'un lampadaire, et je finis par y voir des allées d'arbres taillés en boule, saturés de fruits rouges avec une face verte. Je vois des fruits cirés, innombrables, comme des dessins en lignes claires, coloriés en aplats. Des images pour apprendre à lire. Des fruits d'une perfection de manuel scolaire.

Et puis, je ne dors pas parce que je suis un peu dérangé par la proximité de Gaétan, dérangé par son corps, ses poils d'aisselle, par exemple, que je compare aux miens : il en a plus. Ses clavicules saillantes me rassurent sur la maigreur de mes épaules. Ainsi de suite, je n'arrête pas de comparer dans ma tête.

Je ne sais pas où j'ai pris la croyance que c'était mon devoir d'hôte de veiller Gaétan Roy, mais c'est plus fort que moi. Jusqu'aux petites heures du matin, je monte la garde, j'écoute sa respiration. Son souffle semble égal. Mollo. Rien de difficile comme le mien. Il ne bouge presque pas de la nuit.

Le lendemain matin, nous déjeunons sans faire de bruit. En chuchotant. En marchant sans souliers. En rangeant les assiettes sales avec une précaution de dynamiteur. S'il fallait réveiller ma mère, je n'en entendrais jamais la fin. Quand nous barrons la porte derrière nous, le clac de la serrure retentit tellement fort dans l'entrée du bloc que nous partons à courir en riant à gorge déployée dans l'aube orange.

Nous nous postons au coin de rue désigné, sac à lunch en main, un bon quart d'heure d'avance. Nous voyons le jour monter, les camions de livraison défiler. À sept heures moins quart, l'autobus ne s'est toujours pas présenté.

— Ils ont du retard, explique Gaétan, ça arrive.

Vers sept heures, il dit qu'il ne comprend pas. L'an dernier, il avait bel et bien pris l'autobus, sur ce même coin, à la même heure avec son frère. Et il jure que le circuit existe encore.

Nous fumons une cigarette. Nous meublons l'attente en inventant des explications allant de la crevaison à la grève des cueilleurs. Nous donnons, de demi-heure en demi-heure, une dernière chance à l'autobus.

Vers neuf heures, nous déballons nos sandwichs et nous les mangeons, assis sur le bord du trottoir. C'est pâteux et sucré.

Ensuite nous longeons le boulevard Therrien, sans parler. Le boulevard Therrien est un monstre routier avec des voies condamnées ou rétrécies sans raison, avec des sorties bétonnées qui aboutissent dans une clairière où l'herbe à poux foisonne, avec des fondations armées placées en prévision d'embranchements qui n'ont jamais abouti. Un carrefour absurde, impossible à rectifier. Un projet abandonné.

Je réprime des bâillements, les yeux irrités, la gorge sèche, en butant sur des touffes de graminées qui ont fini par fendre le ciment du trottoir.

Une auto s'arrête près de nous, vitres baissées, bras sortis. Avec son plein volume et ses basses amplifiées, on dirait que la radio *tonne*.

— Gaétan' stie ! hurle une voix venant de l'auto.

C'est le frère de Gaétan avec un ami qui a l'auto de son père pour la journée. La portière s'ouvre et Gaétan s'anime aussitôt.

— Salut ! me lance-t-il en montant avec eux. Puis il hésite et il me demande si je veux venir avec lui.

Je fais un genre de sourire qui veut dire « non merci », et il m'envoie la main. L'auto démarre en faisant crisser les pneus.

Sous la lumière du soleil, les hautes herbes qui bordent le boulevard s'animent du bond fou des sauterelles et d'une danse de mouches autour d'un sac de chips qui contient des miettes rousses.

Je rentre à la maison en bâillant et, affalé en travers sur mon lit démonté, je dors tout mon samedi.

LE PARKING DE LA CONSTRUCTION

La maison est tranquille ; le monde est endormi,
Un seul, tout seul, contemple au loin la poudrerie.

EMILY JANE BRONTË

En ouvrant la porte, ma mère dit : « Ah, c'est toi... » Elle est tellement déçue qu'elle ne le cache pas. J'ai dû sonner parce que j'avais oublié ma clef en allant à l'école ce matin. C'est comme si elle avait espéré quelqu'un d'autre.

Mon horaire du mardi se clôt avec un cours d'éducation physique et je n'avais pas le courage d'aller me mettre en ligne pour la formation des équipes. Je suis invariablement le dernier choisi, au point que j'ai fini par croire que la sélection des joueurs est une sorte de tic-tac-toe où le perdant est le chef d'équipe qui fait le dernier choix : moi. Je n'avais pas le cœur de vivre ça aujourd'hui. J'ai empoigné mon sac d'école et je suis rentré plus tôt. J'ai traîné mes pieds boulevard Therrien jusqu'à notre bloc à appartements, à deux pas du chemin du Tremblay. J'ai longé les bornes de ciment désalignées, les champs de mauvaises herbes montées en graines et leur senteur résineuse. Le paysage était familier, moins angoissant que la sélection pour les équipes.

Quand ma mère a ouvert la porte, son œil s'est assombri comme une ampoule qu'on éteint d'un coup de chaînette.

— T'as pas d'école ? me demande-t-elle en retournant à ses affaires. T'es pas censé finir à trois heures et demie ?

— Le prof d'éduc était malade.

Mentir au sujet de l'école n'a jamais eu de conséquences. Ma mère trouve que l'école est ma responsabilité et elle ne veut pas en entendre parler.

Je m'écrase dans ma chambre avec un magazine de parodies bourré de bédés dont je ne finis jamais de décortiquer tous les détails.

Au bout d'une minute, ma mère frappe à ma porte : ce comportement poli n'est pas dans ses habitudes et je m'inquiète un peu.

— J'ai besoin de lait pour mon café, serais-tu fin ? me demande-t-elle en me tendant un billet de deux dollars. Tu t'achèteras quelque chose.

Sur le chemin du dépanneur, le billet de deux plié dans la main, je suis content de croiser Gaétan Roy.

— T'as pas un cours d'éduc ? me demande-t-il.

— Je sèche. Et toi ?

— Moi aussi. As-tu une cigarette ?

Aussitôt qu'il s'est allumé, il me remercie et s'empresse de poursuivre son chemin.

Au dépanneur j'achète une pinte de lait et une *Coffee Crisp*. J'ai toujours aimé l'allure de lingot de cette friandise. Je paye le tout et, en prenant ma monnaie, je laisse échapper des pièces par terre.

— Oups ! mon change, m'écrié-je avec naturel.

En me penchant pour ramasser mes sous, j'agrippe un sachet de *Sweet Tarts* dans l'étalage et je le glisse dans ma manche. Tout se fait dans un mouvement fluide où rien ne paraît.

Dehors, je prends mon temps pour rentrer, déchirant l'emballage du chocolat, bouchée par bouchée, laissant voleter derrière moi les miettes de papier jaune et argent, qui vont rejoindre d'autres emballages piqués dans les chardons le long des trottoirs.

À deux coins de rues devant moi, j'aperçois Gaétan sortant de chez moi, d'un pas alerte. Qu'est-ce qu'il nous veut ?

Quand je tends la pinte de lait à ma mère, je le lui demande.

— Gaétan Roy est venu ici ?

— Il te cherchait, je lui ai dit que t'étais au dépanneur.

— Mais… dis-je sans finir ma phrase.

Ma mère empoigne son sac à main et disparaît en annonçant qu'elle reviendra bientôt. En rangeant le lait au frigo, je constate qu'on en avait déjà une pinte à demi pleine. Nous nageons dans l'absurde. Pour la ixième fois. La vie de ma mère la regarde, c'est son affaire.

Tout seul dans la cuisine, avec une application presque scientifique, je déchire l'enveloppe métallique des *Sweet Tarts* et j'aligne les pilules surettes devant moi. Je croque des roses, suçote une bleue, empile les vertes. Enfin, je les finis toutes en une poignée. J'ai la bouche farcie d'une pâte crayeuse et je salive des cascades. C'est bon.

Le lendemain, pendant un labo de bio, j'approche mon tabouret de celui de Gaétan pour me joindre à son équipe. En me voyant, il soupire et se met à bousculer les béchers. Quand il échappe une éprouvette, il se fâche comme si c'était de ma faute et il me dit de décoller en me tassant du bras.

Je finis par travailler seul. Il faut déchiqueter une feuille d'érable à sucre, la triturer dans un mortier et faire chauffer le broyat dans de l'alcool pour séparer les pigments au papier filtre. Je m'affaire la tête basse, en espérant que personne n'a vu la bourrade de Gaétan.

Au retour de l'école, je traîne au centre d'achats, faisant semblant de m'intéresser à des livres de poche, scrutant les pochettes de disques, prenant tout mon temps pour rentrer le plus tard possible à la maison et laisser se dissoudre mon dépit dans des index de chansons, dans des résumés de romans.

Gaétan a été rude avec moi. Je n'y comprends rien.

Dans l'étalage, je prends *Jane Eyre* de Charlotte Brontë après avoir deviné qui était le titre et qui était l'auteur. Sur la couverture, il y a un portrait au fusain d'une jeune femme sur un fond beige, ocré presque café au lait par endroits comme un parchemin ambré par des siècles d'humidité ; on voit tout de suite que c'est un classique. Je ne peux pas me tromper avec l'esquisse de cette jeune lady aux cheveux lâchement retenus, à l'ovale noble et au regard hanté par des angoisses proprement britanniques. Je l'ouvre au hasard et je tombe sur ceci :

> *Un admirable été resplendissait en Angleterre. Notre pays, avec sa ceinture de vagues, est rarement favorisé, même pendant un jour entier, d'un ciel aussi pur, d'un soleil aussi radieux que ceux dont nous jouissions depuis longtemps.*

C'est un livre épais, écrit petit, et je me donne un an pour le lire. Je fais un bref tour d'horizon en me grattant la nuque, puis je laisse tomber par terre les *Histoires à ne pas lire la nuit* d'Alfred Hitchcock et, en me penchant pour le ramasser, je glisse *Jane Eyre* dans ma poche. Et je sors du magasin avec un air désarmant de naturel.

Je me promets de commencer le livre ce soir même. Si Gaétan Roy attend que je lui adresse la parole de nouveau, il va trouver le temps long.

Il est presque onze heures du soir quand je me mets enfin à table dans la cuisine pour commencer mon livre.

CHAPITRE PREMIER

Il n'était pas possible de faire une promenade ce jour-là. Nous avions bien passé une heure de la matinée à errer dans le bosquet dénudé, mais depuis le déjeuner, le vent froid de l'hiver avait amené de si sombres nuages...

Juste à ce moment, ma mère rentre. Elle semble de bonne humeur.

— *My my ! Charlotte Brontë, how romantic !* lance-t-elle en me prenant le roman des mains.

Elle parle sans arrêt en soupesant le roman comme un bibelot qu'elle ne saurait où ranger. Je profite de ce qu'elle semble volubile pour lui parler de Gaétan. Le sujet me pèse depuis le matin.

— Il y a quelque chose que je ne comprends pas au sujet de Gaétan Roy, dis-je, ayant en tête sa visite surprise le jour où je l'ai croisé en allant au dépanneur chercher du lait qu'on avait déjà.

Elle se redresse tout de suite, l'air paniqué.

— Pourquoi tu me parles de lui ? me demande-t-elle en laissant tomber le roman sur la table.

Je lui raconte comment j'ai tenté de lui parler aujourd'hui dans le laboratoire de bio, puis elle m'interrompt. Elle me prend par les mains et m'emmène au salon. Son geste me gêne. Elle ne m'a jamais pris les mains comme ça. J'ai un mauvais pressentiment qui ressemble à un début de nausée.

Sur le ton de la confidence, elle me dit tout.

Un après-midi, on a frappé à la porte. Elle a débarré sans ouvrir, puis elle est retournée dans sa chambre se dévêtir : elle s'apprêtait à prendre sa douche. Elle était sûre que c'était moi qui avais oublié mes clefs et c'est pour ça qu'elle a débarré la porte sans l'ouvrir, sans regarder qui frappait. Elle le répète : « Je pensais vraiment que c'était toi. » Mais ce n'était pas moi. C'était Gaétan Roy.

Pendant qu'elle se déshabillait, il est entré dans sa chambre et l'a surprise flambant nue. Il l'a menacée. Il lui a dit carrément qu'il avait envie de faire l'amour avec elle. Il avait commencé à déboutonner ses jeans et elle voyait qu'il bandait. Elle s'est couvert les seins d'un oreiller et lui a hurlé de sortir. Elle a crié qu'elle avait un enfant de son âge et qu'il devrait avoir honte. Elle l'a traité de petit écœurant. Elle a gueulé si fort qu'il a eu peur et qu'il est sorti en courant.

Je suis bouche bée.

Ma mère me fait promettre de n'en parler à personne. Elle ne veut pas de problèmes et, de toute façon, d'après elle, tout est rentré dans l'ordre.

— J'aurais jamais dû te le dire, dit-elle en pressant son poing contre son front.

Je promets de garder le secret mais une rage commence à sourdre. Je serre les poings. Je veux battre Gaétan. Je ne pense qu'à ça. Le battre. En public. Je frappe sa tête. J'imagine du sang.

Nous restons un moment, maman et moi, à décanter tout ça sur le divan. Puis ma colère s'éteint. Je suis découragé, je ne suis pas un homme brandissant son épée au nom de l'honneur, je n'ai rien de « preux ». Mais je ne suis pas non plus un petit garçon rampant qui fait la lippe en écoutant sa maman lui interdire ci ou ça. Alors je suis quoi ? Je l'entends faire des réflexions graves sur la dureté de la vie, sur le sort des mères célibataires, et je n'arrête pas de me demander : « Mais je suis quoi, moi ? »

Quand j'étouffe un bâillement, elle me sourit et me dit : « Va te coucher, maintenant. Il est tard. »

Deux jours ont passé, pendant lesquels j'ai traîné un dégoût pesant. Sur le boulevard Therrien, les fardiers fumaient noir, soulevaient la poussière, et le parfum des mauvaiscs herbes m'écœurait. Je n'imaginais pas comment continuer à garder le silence en traînant dans ma tête des images de Gaétan, lubrique et mal rasé, sautant sur ma mère.

À la cafétéria de la polyvalente, je l'aperçois et tout de suite je veux l'affronter. J'ai un peu, juste un peu, le goût de me battre. Mais je veux surtout lui montrer que je sais tout. Je lui fais signe de venir vers moi et il s'amène, un peu méfiant. Je lui offre une cigarette pour briser la glace. Puis je vais droit au but.

— Ma mère m'a dit ce que t'avais fait, lui dis-je en expirant du coin de la bouche un profond jet de fumée.

Il s'en étonne, puis il sourit, sûr de lui.

— Aie pas peur, dis-je encore, elle m'a fait jurer de pas parler.

Après quelques bouffées, ne sachant plus où regarder, il finit par dire qu'il est un peu surpris qu'une mère raconte ça à son fils.

— Elle t'a pas donné de détails quand même, dit-il en ricanant.

Sans attendre ma réponse, il me raconte que ça dure depuis un bout de temps. Ils vont au parking de la construction deux, trois fois par semaine. Gaétan m'apprend également que ma mère est en train de devenir exigeante.

Dès qu'il fait noir, ma mère passe le prendre devant les balançoires de l'école primaire et elle va stationner sa voiture au parking de la construction.

Je regrette d'avoir parlé. J'aurais dû me taire et garder l'image de ma mère qui m'implore de garder le silence, qui ment comme elle respire, qui est tout proche.

Le parking de la construction est un espace vacant en terre battue qui donne sur le chemin du Tremblay, attenant au vieux chemin de fer. Un entrepreneur prospère l'a investi pour y ranger sa machinerie lourde et des roulottes de contremaître. À la nuit tombante, comme d'autres qui ont eu la même idée, ma mère et Gaétan se garent là pour avoir la paix, entre une pelle mécanique et une bétonnière. Ils ont même un petit gag entre eux à propos du « béton à couler » qui leur sert à initier leurs ébats.

— Veux-tu que je t'explique ce qui se passe ? me demande-t-il mi-souriant.

Il semble croire que ma mère et moi avons une relation rare. Je ne réponds rien. J'aimerais qu'il me dise tout, crûment, sans avoir à le demander. J'aimerais me sentir horrifié. Ou bien j'aimerais afficher l'air blasé de celui qui sait tout. Une réaction, n'importe laquelle. La réaction d'un homme qui souffre, d'un sage qui sourit, d'un snob qui bâille. Mais je reste là à blêmir, sans connaître la chose à faire, la chose à dire.

— En tout cas, se contente-t-il de dire, ta mère fait bien ça.

Je me retourne en haussant les épaules, et je m'en vais sans rien laisser paraître. Ni affliction, ni abattement. Rien.

De *Jane Eyre* j'ai lu deux pages et demie seulement depuis que je l'ai volé. Je trouve que ça n'avance pas, que c'est lourd. Je relis le début

CHAPITRE PREMIER

Il n'était pas possible de faire une promenade ce jour-là. Nous avions bien passé une heure de la matinée à errer dans le bosquet dénudé, mais depuis le déjeuner, le vent froid de l'hiver avait amené de si sombres nuages...

et tout de suite j'imagine le reste dans ma tête et de fil en aiguille je finis par ne plus penser à rien, je regarde le mur, je perds ma page. Mais j'aime bien le livre. Il est beau. Je passe souvent ma main dessus, je le traîne dans mon sac comme un coffret précieux. Le portrait de la couverture est dessiné avec goût.

Je n'arrive pas non plus à m'intéresser à mon magazine de parodies. J'ai beau me forcer, je regarde une case de bédé et en moins d'une seconde mes yeux vont ailleurs.

Il est tard, la nuit tombe et ma mère est sortie. Je les imagine en auto dans le stationnement en terre battue entre deux camions jaunes, dans les relents d'huile à moteur et de graisse noire, je sais qu'à un moment donné la tête de ma mère s'abaissera pour embrasser les poils de Gaétan qui a descendu son caleçon pour elle. J'imagine que les vitres de l'auto sont déjà embuées. Je sais qu'au bout de quelques minutes, elle baissera une vitre pour jeter un ou deux kleenex bouchonnés et qu'entre elle et Gaétan commencera une petite négociation d'amoureux : lui voulant qu'elle le reconduise devant chez lui, invoquant ses jambes flageolantes, elle refusant net, craignant que leur secret soit percé à jour.

Elle rentrera, hésitante, presque délicate, et je ne demanderai pas mieux que de faire comme si rien n'était arrivé. Nous aurons des sourires courtois. Nous aurons des voix tranquilles. Nous jaserons à propos de rien et je ne pourrai m'empêcher de me demander si un goût subsiste dans sa bouche et j'aurai honte de penser à ça.

À l'heure qu'il est, elle jase avec lui dans sa voiture, parquée entre deux machines lourdes, et elle vient tout juste de faire un petit gag sur la dureté du béton.

MON TRÉSOR

Manon raccroche le téléphone mural comme si elle frappait Tony au visage ou déchargeait un barillet au cœur d'une cible, le cœur de Tony par exemple, écœurée qu'il la rappelle, écœurée d'avoir accepté de le revoir. Et elle se fait un café noir.

Kevin, déjà en pyjama, lui dit : « Maman, tu dormiras pas. »

— Faut que je sorte cette nuit. Va te coucher, lui dit-elle en l'embrassant dans les cheveux.

Elle s'affale avec sa tasse devant la télé dont elle a réglé le son au plus bas. Elle cherche une émission sur un animal sauvage qui évolue en solitaire dans des jungles vertes ou sur une famille de fauves dans des savanes brûlées par le soleil qui semblent passer sans prévenir d'étirements paresseux à des battues cruelles. Elle se contente d'un homme en veston qui gesticule devant une carte des Maritimes marquée de chiffres et d'icones météo. Il est passé onze heures ; elle ne rencontre Tony qu'à deux heures du matin.

Elle entend Camilien au 4B, l'appartement juste au-dessus. Il vient d'échapper un ustensile dans sa cuisine. Camilien est un vieux garçon dans la cinquantaine. Manon l'appelle parfois « ma chum de fille », une marque d'intimité qui le fait se tortiller de ravissement.

Elle lui téléphone.

— Camilien, ma chouette, j'ai besoin d'une gardienne cette nuit. Je vais être sortie une heure, deux au max…

Camilien promet de descendre. C'est un homme maigre au teint cuivré par le goudron des rouleuses, aux cheveux drus domptés au fixatif, vêtu été comme hiver d'un polo qui dénude des avant-bras fortement veinés. Une présence fiable, toujours prêt à venir écouter les anciennes histoires de voyages de Manon et passer sa main sur ses meubles exotiques en poussant des soupirs d'appréciation. Manon et lui s'échangent des magazines d'hommes nus, passent des après-midi entiers à fumer sur le balcon, à boire des cafés.

Alors que le mobilier de Camilien frôle l'indigence, chaque meuble de Manon a son histoire. La chaise en babiche vient d'une aïeule de Charlevoix. Le grand bahut sculpté vient du Mexique. Le tapis aussi vient du Mexique. Le jeu d'échecs en onyx sur la table à café lui a été donné par un Mexicain amoureux d'elle. Le sofa de cuir est un cadeau qu'elle s'est elle-même donné pour ses trente-cinq ans, « l'âge de commencer à s'asseoir ». L'arbuste bizarre dans le cache-pot d'osier près de la fenêtre est une curiosité. Elle l'appelle ses *épines du Christ* et elle croit bien être la seule à en posséder au Québec. Ce sont deux tiges épineuses qui ont été tordues pour ressembler à une couronne. Les feuilles, petites et spatulées, sont rares comme chez les plantes désertiques qui demandent peu d'eau, peu de soins. Une fois par an, autour de Pâques, des fleurs violettes apparaissent. C'est un cadeau de Tony ; il l'avait payé les yeux de la tête.

Manon s'allume un demi-joint, une *puff* pour alléger les pieds, donner un peu de flou au contour des choses. Il ne faut pas qu'elle fume trop. Il ne faut pas perdre la carte.

À la télé, le film a commencé : un Français gesticuleux tourne en rond dans une chambre exiguë. Le téléviseur est placé entre deux coléus pourpres, touffus et envahissants sur le dessus du bahut mexicain, une pièce de bois teint d'un marron presque noir, un morceau massif d'allure riche qui donne un coup d'œil honorable lorsqu'on entre au 3B.

Manon a connu le Mexique il y a presque vingt ans avec Tony et Jacques. Les trois passaient du *pot* aux douanes, dans une roulotte. L'herbe était tassée sous le coussin du lit au fond. Selon le plan de Tony, Jacques et lui devaient descendre de la voiture pour répondre aux questions des douaniers mexicains. D'après Tony, les douaniers mexicains étaient toujours prompts à montrer aux *gringos* que ce n'étaient pas eux les maîtres en ce pays et c'est avec cette hargne qu'ils fouillaient les véhicules. Or Tony s'était arrangé pour qu'en pénétrant dans la roulotte, les douaniers surprennent Manon jouant la naïve, étendue sur le ventre en string rose gomme, agréablement étonnée par les visiteurs, délaissant la revue insipide qu'elle était en train de feuilleter. Divertis par la blonde au teint laiteux, les douaniers deviendraient tout sourire et fouillasseraient sans grande attention. Manon y irait d'un jeu de tortillements, de ricanements, de bretelle agaçante qui passe son temps à tomber. Elle maniait assez l'espagnol pour être franchement charmante et les douaniers ressortiraient de la roulotte bernés. Tony, Jacques et Manon passeraient les lignes comme un couteau dans le beurre, morts de rire en revivant l'histoire.

Quand les douaniers sont entrés dans la roulotte, Manon les a accueillis avec un *¡hola!* pétillant mais l'un d'entre eux s'est dirigé tout de suite vers le coin du coussin pour le relever et découvrir des sacs d'herbe pressée. Il a replacé le coussin et, après avoir échangé un bref coup d'œil avec son confrère, il s'est dézippé. L'autre faisait le guet à la porte. Par le hublot, Manon a vu Tony et Jacques qui regardaient par terre en fumant nerveusement sous l'abri du poste. Elle n'a pas paniqué. Elle savait que les gars comptaient sur elle et elle prisait sa faculté d'être, selon l'expression de Tony, *one of the guys.* Avec la verge du douanier sous le nez, elle a négocié une promesse de sauf-conduit qui pourrait être, qui sait, répétée. Le Mexicain a décalotté son gland avant de le lui glisser dans la bouche. Elle gardait les yeux fixés sur la ceinture serrée, sur la braguette piquée de fil beige, gardait ses mains sur le tissu kaki tendu par les hanches replètes.

Derrière, l'autre attendait son tour.

Par la suite, Manon a « fait la roulotte » à contrecœur, mais elle savait que la traversée des lignes reposait entièrement sur ses épaules et Tony et Jacques n'en finissaient pas de redoubler leurs attentions pour elle.

Le manège a duré une grosse année. Les douaniers voulaient davantage. Bien vite, Manon les attendait, toute nue, avec une bouteille de tequila entamée. Durant les deux années qu'ont duré les passes, elle obtenait ce qu'elle voulait de Tony : trois jours à Las Vegas, une tête de lit en teck, un crucifix en ébène, un bahut sculpté à la main, une plante désertique hors de prix.

Quand elle a eu Kevin de cet Hollandais timide rencontré au *Stool* (Kevin a les mêmes cheveux blonds), elle l'a laissé avec sa mère quelques années pour rester avec Tony et sa vie de combines. Quand Kevin a eu dix ans, elle a eu envie de stabilité et elle l'a repris avec l'intention de s'occuper de lui ; elle a pris ses distances avec Tony. Avec l'assistance sociale et un dimanche sur deux comme barmaid au *Stool*, elle a assez d'argent pour élever son fils sans avoir à quêter à qui que ce soit. Elle s'est trouvé un appartement pas cher dans une série de blocs surpeuplés dont les briques, mauvaises, avaient commencé à s'effriter avant même que le stationnement ne soit pavé. Elle avait loué le 3B, au troisième étage, et elle avait décoré le salon avec un exotisme assumé. Parce que le propriétaire interdit toute peinture, aucun des voisins n'a touché aux murs *off-white*. Dans le salon, Manon a décidé de couvrir les siens de tapis de paille. Avec ses plantes luxuriantes, ses masques olmèques et ses meubles foncés, l'effet tropical est saisissant. Camilien n'a pas de mots pour le génie de Manon.

Dans une heure, Tony va lui proposer un brun « pour le dérangement » et elle refusera. Elle peut le faire.

— T'as ton honneur, Manon, t'as ta dignité, murmure-t-elle devant une actrice française qui fait une crise. Il va voir que j'ai mon honneur, répète-t-elle en éteignant son demi-joint.

Elle range le mégot dans un coffret d'onyx.

On tambourine à la porte. Elle reconnaît le polo rouge de Camilien dans le judas et ouvre tout de suite.

— Bonsoir, ma belle ! claironne-t-il.

Manon lui fait signe de baisser le ton : Kevin dort.

— Comment va le petit ange ? chuchote-t-il.

— Viens t'asseoir deux minutes.

Camilien dépose son porte-cigarettes en plastique sur la table à café. Manon emplit deux petits verres de tequila.

— Je vais t'expliquer, commence-t-elle.

Elle doit rencontrer un ami qui a des problèmes. Elle s'absentera jusqu'à quatre heures du matin. C'est tout. Camilien n'a rien à faire. Jeter un œil sur Kevin de temps en temps. Elle ne veut pas qu'il reste tout seul la nuit, même s'il a treize ans et que bien des parents le feraient. Elle avale d'une traite sa dose de tequila. Camilien, peu hardi, sirote la sienne. Manon se verse une autre rasade.

— La tequila, ça saoule pas, ça gèle, explique-t-elle.

Elle enfile un blouson de jean piqué de sequins qui dessinent un soleil rose et jaune dans le dos. Devant le miroir, elle se ravise et enfile un imper sombre.

— T'as un peu de lecture si tu t'ennuies, lui lance-t-elle avec un clin d'œil.

Dès qu'il est seul, Camilien se ressaye à la tequila, grimace et va cracher sa gorgée dans l'évier de cuisine.

Dans le salon, sous la table des *épines du Christ*, il y a des *Playgirl* et des *Blueboy* froissés. Camilien fourrage dans la pile, en tire un choix et va se rasseoir avec des catalogues d'hommes nus au corps maquillé presque orange, aux muscles satinés et aux dents blanches.

Au bout d'un quart d'heure, il se lasse et va épier l'enfant qui dort. Sur la pointe des pieds, il marche jusqu'au lit de Kevin qui gît, la tête sur le côté, le poing ouvert remonté sur l'oreiller. Une posture de bébé. Camilien est ravi.

Il s'agenouille près de l'enfant et s'approche assez pour respirer la chaleur qui monte de ses cheveux. Retenant son souffle, il tire lentement la couverture. Kevin se revire machinalement, lui tournant le dos. Camilien se redresse et après une seconde d'hésitation, la respiration courte, il se penche de nouveau pour sentir le cou du garçon. Puis il pose ses lèvres sur la nuque, ose y frotter le bout de sa langue pour tâter le sel de la peau. Il frissonne. Ses yeux s'embuent.

Manon stationne sa voiture à l'adresse convenue et, presque immédiatement, une Parisienne noire ralentit jusqu'à elle. Tony descend, lui cède la place du chauffeur et monte à l'arrière, il est visiblement tendu. Jacques, assis à côté, salue Manon.

— Chemin du Tremblay ? demande-t-elle, les mains sur le volant.

— Comme la dernière fois, répond Tony.

— La dernière fois, c'est à soir, Tony. J'veux plus que tu me rappelles.

Manon a parlé avec résolution. Son ton est dur. Il faut leur montrer qu'ils ne pourront plus rien attendre d'elle après cette nuit.

— Ça fait longtemps qu'on s'est vus, Manon, lance Jacques.

— Ta gueule, Jacques, lui répond-elle, placide.

— C'est une affaire compliquée, commence doucement Tony.

— Tony, moins j'en sais…

Manon roule jusqu'à la partie du chemin du Tremblay où la route devient sinueuse, le boisé dense et les fossés drus. Personne ne passe là, la nuit. La police ne patrouille jamais.

Une fois, Tony avait tué un homme, une histoire stupide qui avait mal viré, et Manon lui avait dit en lui pointant l'index au nez : « La mort, Tony, je ne touche pas à ça. » Et elle avait accepté, de guerre lasse, de l'aider à larguer le corps dans un fossé du chemin du Tremblay. Elle lui avait fait jurer de ne plus la mêler à ses histoires.

Elle conduit, attentive à la route, jetant toutes les cinq secondes des coups d'œil dans le rétroviseur, s'efforçant de ne penser à rien. Elle reste sourde aux chuchotements des hommes, elle veut sortir de cette nuit comme elle y est entrée, en ne sachant rien. Elle chauffe la Parisienne un peu lentement. Dans une heure elle sera chez elle, remerciera Camilien en lui glissant un dix, il jouera l'étonné et elle reprendra sa vie avec

Kevin. La vie normale. Le déjeuner. Le lunch. L'école. Les devoirs. Le bulletin. Les réunions de parents. Kevin ne sera pas un homme comme Tony et Jacques. Elle en a fait le serment quand elle l'a pris avec elle. Elle pense aux projets qu'elle a pour Kevin ; elle les énumère dans sa tête et finit par se dire, comblée, que c'est lui qui décidera.

— Commence à ralentir, ordonne Tony.

Manon s'exécute. Dans une longue courbe, on descend les vitres à l'affût des bruits de moteurs. Jacques et Tony gardent la main sur leur portière entrouverte. Dès que Tony fait signe, Manon freine doucement et les hommes descendent. À toute vitesse, ils ouvrent le coffre pour en tirer à grand peine le corps d'un homme bâti. Ils laissent rouler le cadavre dans le fossé et remontent en courant dans la voiture qui repart déjà pour ne pas perdre une seconde. Ils vont à Boucherville reconduire Jacques chez lui. On regarde de tous côtés. On roule normalement. On se tait.

Manon s'en veut. Elle fixait la route devant elle pendant que les hommes étaient derrière et, sans penser, elle a jeté un œil au rétroviseur. Elle a vu le corps. L'homme qu'ils ont largué portait un petit sac à vidange blanc sur la tête fixé par du *tape* gris autour de la gorge. Elle a vu le sang qui noircissait le sac de l'intérieur, le sang goudronneux qui plastronnait la chemise à carreaux. Une chemise à petits carreaux bleu pâle. Comme une chemise de chasse molletonnée, mais bleu pâle. Une couleur de pyjama d'enfant. Un homme de cette taille n'aurait jamais acheté une chemise à carreaux d'une couleur aussi pastel. Qui lui avait acheté cette chemise ? Une femme. Une mère. Une amante qui ne dormait pas, qui se demandait où il pouvait bien être passé. C'était un genre *Réal*... ou *Robert*... Elle s'en veut d'avoir vu ça, rien que ce détail : le tissu de la chemise à carreaux bleus. Elle voulait rentrer chez elle intacte et elle va ramener l'image d'un homme assez grand, cagoulé, au torse encore tiède, qui se laisse manipuler, les bras mous, par Tony et Jacques. Elle en veut à Tony de lui avoir téléphoné, elle qui fait tout pour montrer à Kevin autre chose que la vie de combines. Kevin ne sera pas comme Tony, se jure-t-elle.

Elle dépose Jacques devant un bungalow et Tony monte à sa place, pour être près d'elle. Sur le chemin du retour, il veut parler.

— Je suis vieux, Manon.

— Moi aussi, Tony, réplique-t-elle sèchement.

— Manon, j'ai envie de parler, il faut que je parle, la supplie-t-il.

— Si tu veux parler, Tony, appelle ta mère.

Elle serre le volant, les jointures blanches, les yeux brillants.

De retour au point de rencontre, Manon stoppe la Parisienne. La nuit est claire, fraîche, déserte. Dans les blocs à appartements, on boit des bières devant la télé jusqu'aux petites heures. Des chats tigrés se frottent contre les autos stationnées.

— La prochaine fois que tu m'appelles, Tony, je te connais pas. Je t'ai jamais vu. Puis je te raccroche au nez.

Tony lui promet que ça ne se reproduira plus. Il le lui jure en ouvrant la portière.

Il fait le tour de la voiture jusqu'à elle, mais Manon reste là, les mains crispées sur le volant. Elle ne sort pas.

— Manon… qu'est-ce que t'as ?

— Tony, lui dit-elle, tu me dois deux bruns.

Tony regarde furtivement alentour et sort de sa poche une liasse tenue par une pince sertie d'un calendrier aztèque en argent. Il en tire deux billets de cent dollars et, dès qu'elle les a glissés dans la poche de son imper, elle marche d'un pas fâché vers sa voiture.

Tony l'appelle ; elle l'ignore. Des grillons trillent dans les zones en friche derrière les immeubles ; ils sont infatigables, la nuit.

Dès qu'elle est seule dans son auto, Manon commence à sangloter et fonce vers l'autoroute. Elle va faire de la vitesse, la radio à tue-tête, et hurler comme une enfant qu'on gifle. Elle va foncer pour décrasser son moteur et, quand elle tapera le 130, elle lâchera un cri de guerre. Une heure de folie pure pour rendre le lendemain ordinaire. Ne pas rentrer tout de suite au 3B, ne pas laisser voir à Kevin une trace d'horreur dans ses yeux. Oublier les salissures sur le tissu à carreaux bleu pâle.

Sur la 20, Manon file comme une balle au son d'un battage rock qui fait trembler les haut-parleurs. Elle fait ça dix minutes. Elle a la voie pour elle seule. L'autoroute est quasiment déserte à cette heure de la nuit.

Derrière elle, une patrouille lui fait signe. Dès qu'elle aperçoit le gyrophare, elle sacre, ferme la radio et arrête bien sagement sa voiture sur l'accotement. Elle prend une seconde pour moucher son nez, ses yeux et jauger dans son miroir latéral l'homme kaki qui s'avance vers elle, les hanches alourdies par son arme, les épaules un peu carrées, les bras forts.

Elle s'essuie les yeux de nouveau et elle empoigne le crucifix du chapelet turquoise qu'elle garde entortillé à son rétroviseur, elle regarde le Christ et murmure : « Toi, j'te parle ! Aide-moi. Aide-moi, m'entends-tu ? »

Elle baisse sa vitre.

— Vous êtes pressée, madame, dit le policier en s'appuyant sur la portière.

— Mon nom, c'est pas Madame, lui dit-elle avec un sourire plein de charme, c'est Manon.

La repartie amuse le policier. Elle lui sourit en le fixant dans les yeux. Il lui rend son sourire.

Elle sort son permis de conduire de son étui et le lui tend. Tandis que le policier se redresse pour lire à la lampe de poche, Manon regarde son ventre un peu rond sous la chemise kaki, les boutons nacrés, la ceinture trop serrée, les hanches replètes, le haut des cuisses solides qui tendent le tissu, les plis de la fourche qui semblent tous aboutir au bourrelet de sa braguette piquée de fil beige. « Ils ont tous, pense-t-elle, le même criss de modèle de pantalon. »

— *¡ Hola querido !* soupire-t-elle tout aguichante, dis-moi pas que c'est à soir que je rencontre l'homme de ma vie.

LE PONT

C'est la faim qui me tire du lit. Sinon j'y passerais la journée. C'est ce que j'aime le mieux, dormir, rêver. Je ne suis pas un gars qui veille devant les reprises au canal 12. Le soir, je me mets au lit, excité à l'idée de reprendre un récit d'espionnage fait de guets, de camouflages magiques, de tensions intenables, d'identités multiples. Ça commence toujours de la même façon. Je lis une page, dans les N mettons, *nard, narguer, narine, narquois...* et je m'allonge sans bouger, je suis une momie bien ficelée, confite dans le *nard,* et soudain, on me découvre. On me déballe, on me *nargue,* et on m'interroge le couteau sous la *narine.* Je m'échappe. Je suis poursuivi. Forêts. Déserts. Montagnes. Banquises. Dormir est mon activité préférée.

J'ai faim. Ce matin, j'ai tellement faim que ça fait mal, c'est une implosion acide dans mes entrailles. Je vendrais tous mes secrets pour une toast à la cassonade, saturée de beurre.

J'enfile un caleçon et je vais à la chambre de ma mère. Ma mère est une tignasse châtain à mèches blondes qui flotte sur une mer de draps fripés. Je lui brasse l'épaule.

— M'man, il est neuf heures et quart.

Elle ne remue rien. Je repêche son soutien-gorge d'un tas de vêtements un peu moites au pied de son lit.

— M'man, *come on*… déjeuner.

Elle respire d'un coup comme une baleine blanche qui émerge des abysses et se redresse à grand-peine. Les cheveux dans le visage, elle tend la main. J'y dépose son soutien-gorge bien fermement. Elle enfile le devant, relève mollement les bretelles, elle fait ça tout croche. À genoux dans son dos, je m'impatiente.

— Tss ! Rentre-les… Grouille !

Elle soulève son sein gauche, le cale dans son bonnet, et quand tout est bien en place, je l'agrafe. C'est une série de quatre agrafes doubles que je fixe au troisième rang. Elles sont minuscules. Ma mère, comme elle dit, est *all thumbs* le matin.

— Veux-tu ta brosse ? M'man ? M'man, tu dors !

Elle ne bouge pas. C'est une poupée oubliée qui garde la tête penchée. Je ramasse une brassée de vêtements que j'entasse sur une chaise. Sa perruque rousse traîne dans le tas comme une bête morte sur le bord de la route. C'est un cadeau du propriétaire, une chose tout en bouclettes folles qu'elle appelle sa « tuque ». Le propriétaire de l'immeuble a un goût pour les rougettes. Une fois de plus, la « tuque » semble avoir volé à travers la pièce pour aboutir cette fois sur un tas de linge sale. Il arrive que je la retrouve accrochée au coin du miroir ou enfouie derrière le voilage de la porte-fenêtre ; une fois, je l'ai déprise du plafonnier. Il semble que la « tuque » finisse toujours par être projetée à bout de bras ; ou bien c'est un jeu, ou bien c'est une habitude de déshabillage, sans histoire. Je la replace sur une marotte blanche piquée d'épingles. Ma mère finit par murmurer :

— Va prendre ta douche…

Après s'être décrassé les yeux, elle rajoute d'une voix plus claire : « Faut qu'on parle. »

Elle dégage ses cheveux et me regarde. Elle a mal dormi. Elle répète :

— Va falloir qu'on parle, Mike.

Je n'aime pas ça. Je n'aime pas ce ton-là. Je n'aime pas qu'elle dise mon nom quand elle s'adresse à moi. C'est toujours un mauvais jour quand elle « veut parler ». Elle va gâcher ma journée.

Je déjeune seul. Quand les toasts sont brûlantes, je les beurre jusqu'à ce qu'elles soient traversées et je couvre la surface de cassonade foncée, ratissant la pâte mollette comme un asphalte capiteux. Quand je mords dans la chose tiède et que le caramel tapisse ma bouche, le temps s'arrête. Je ne suis nulle part. Je suis riche. Tous les moyens et aucune contrainte. L'angoisse commence à poindre quand le carré se rapetisse. L'angoisse n'est rien d'autre.

Ma mère apparait. Elle est assise devant moi et pose un billet de vingt dollars bien à plat devant elle comme si elle allait s'en servir comme napperon. Elle est nerveuse. Elle cherche ses mots. Puis elle va au comptoir se préparer un café en faisant beaucoup de bruit. Elle parle en mesurant ses cuillerées, feignant un ton ordinaire.

— L'hiver s'en vient, puis j'ai pensé...

Elle ne finit pas sa phrase, se reprend autrement.

— Que tu veuilles pas finir ton secondaire, c'est ton choix...

Puis elle renonce à poursuivre et sort de la cuisine.

Je me tiens la tête à deux mains en maugréant.

— C'est la job, c'est encore la job. C'est pas vrai ! On va encore parler de la job...

Elle revient au pas de guerre en hurlant.

— Ou il y a de l'argent qui rentre icitte, ou tu prends la porte ! Y a pas d'entre-deux !

Ensuite, pas une parole n'est prononcée jusqu'à midi passé. Un duel à qui va rompre le silence. Une journée de migraine, le dimanche. Ma mère dans son lit, moi dans le mien. Je passe un temps dans la fenêtre du salon à gratter le bord de moisi sur la vitre. L'hiver hésite. Les voisins d'en face semblent casés dans des pigeonniers. Les rangées de blocs uniformes ont surgi au début de l'année, sans prévenir, comme si on avait eu à placer un millier de réfugiés en un mois. Comme eux, je reste en dedans, au chaud entre des murs *off-white* qu'on nous a interdit de peindre, sur un tapis mur-à-mur d'un ton de brun que le propriétaire nomme *gold.* La journée est plate. Je sursaute quand on glisse une chaise chez le voisin d'en haut, puis rien.

Ensuite je vais dans ma chambre où je passe un long moment, la joue collée à la fenêtre, à jouir de la fraîcheur. Ma chambre n'a pas de rideaux : elle donne sur un terrain vacant.

Enfin, je décide de faire preuve de bonté et je parle. Je soupire, assez fort pour qu'elle entende de son lit :

— Les bonnes jobs sont rares.

Je n'en ai aucune idée. C'est un cliché que j'ai toujours entendu suivi de marmonnements fatalistes. Une phrase qu'on lance comme ça, dans un temps mort aux cartes. Une phrase sur le temps qu'il fait.

Sans perdre une seconde, ma mère entre dans ma chambre en tenant son billet de vingt dollars à deux mains comme si c'était un mot qu'elle voulait me faire lire.

— Moins que tu penses. J'ai parlé à ton oncle Yvon.

— Yvon ?

— Il y a un concours au bureau de poste. Les entrevues sont demain. T'as juste à te présenter à dix heures pile. T'as rien à perdre… C'est bien payé, le bureau de poste… Tu sais ce qu'ils disent, hein, il suffit de mettre un pied dans la boîte…

Elle égrène ses arguments comme un carré d'as. Je la laisse gagner. Je hoche la tête en regardant le tapis. Elle finit par me tendre le billet de vingt.

— Pour l'autobus, dit-elle.

— Vingt piastres ! C'est trop…

— Tu resteras en ville pour dîner.

— En ville ! Faut que j'aille en ville ?

— On parle du bureau de poste central, Mike. Au centre-ville. Tu sais, sur la rue Peel… Tu garderas le change.

Elle est déjà à transcrire l'adresse sur un bout de papier quand elle me dit :

— Ça va marcher, tu vas voir. *Just think positive.*

Puis elle passe au ton sérieux pour me préciser qu'il n'y a rien de gagné, qu'il faut que je fasse bonne impression à l'entrevue. Mon oncle est bien placé, et c'est à lui qu'on doit d'avoir obtenu un rendez-vous. Mais on a le rendez-vous et rien d'autre. Pas de promesse. Le reste est entre mes mains.

Après m'avoir passé en revue des pieds à la tête, et de la tête aux pieds, maman dit que mon sourire est mon point fort.

— Tu souriras, conclut-elle.

Le lendemain, au réveil, j'ai une chemise repassée et des jeans proprement pliés sur ma chaise de chevet. Cela m'impressionne parce que j'ai passé la nuit à rêver de souliers cirés, de complets noirs et de poignées de main au salon mortuaire. Je reste une longue minute à fixer le plafond, à profiter des restes de ma torpeur, et je dois me faire violence pour repousser mes draps sec, comme on le fait pour un pansement agglutiné dans le poil.

Je brosse mes dents. Je peigne mes cheveux. Je pense que j'aurais plus de chance à l'entrevue si j'avais les cheveux courts. Je me rappelle avoir lu que *chance* venait de *choir* et cette association me laisse pensif. Je reste un temps, les yeux vagues, à faire toutes sortes de liens comme ça.

Je pars de bonne heure, le pas vif, reniflant ma morve dans le temps froid, me figurant qu'en traversant le pont à pied et en marchant jusqu'au centre-ville, je ménagerai mon argent. Je me rends jusqu'au pont, mon billet de vingt plié dans ma poche de jeans. J'ai deux grosses heures devant moi à nommer les choses qui se présentent, à les orner d'allitérations. « Trop petit trottoir. » « Toute auto totale. » C'est comme siffler.

De loin, le pont Jacques-Cartier flotte dans les airs comme un projet de cathédrale. De proche, c'est un squelette de paquebot tout écalé, une chose qui monte au ciel parce qu'elle est morte. Le passage piéton est fermé pour des réparations qui durent depuis tellement longtemps que tout le monde connaît les trous qui le percent, leur grandeur, un truc pour les enjamber. Avec un peu de chance, je verrai un cargo passer entre mes deux pieds ; c'est trop haut pour pisser sur les marins, mais ça donne un bon vertige et ça fait battre le cœur. Je franchis le panneau STRICTEMENT INTERDIT DE PASSER – DANGER et je marche allégrement vers Montréal en répétant « petite passerelle périlleuse » pour la joie des occlusives.

À mi-chemin, à peu près entre les deux pylônes du pont, je trébuche sur une armature d'acier qui saille du ciment et je me retrouve à plat ventre. À deux pouces de mon nez, il y a un trou assez grand pour laisser tomber un coffre. Je vois distinctement l'écume du fleuve qui se fracasse sur les piles de béton. J'ai peur ; je transpire des mains et ma tête tourne. Je me recroqueville comme une bête menacée et je ne bouge plus. J'imagine que si je reste assis là assez longtemps, on finira par me ramasser et me ramener chez moi, tremblotant, drapé dans une couverture de laine rêche avec un brave policier posant sa main forte sur mon épaule. Je pourrai retourner dormir à mon aise dans mes draps tièdes, après avoir raconté à ma mère comment j'ai failli mourir noyé, le cou cassé, démembré dans ma chute, et la laisser se convaincre par elle-même qu'il y a dans cette aventure une leçon. Il y a des milles et des milles entre le fleuve et mes genoux. Pour passer le trou, je dois agripper la rampe avec mes mains qui dégouttent, qui glissent. Je pense tomber à chaque passage de camion qui ébranle le pont. Le reste de la traversée est une épreuve. Il n'y a pas d'autre mot : épreuve.

Quand je mets le pied sur l'île de Montréal et que je sens le sol ferme, les tremblements diminuent. Je flotte un peu le long du boulevard Dorchester en allant vers le centre-ville, tout à l'ouest, non sans garder l'impression que je viens de franchir un point de non-retour, comme ces Africains pubères du *National Geographic* qu'on jette du haut d'une falaise avec juste ce qu'il faut de corde pour arriver la tête à un pouce du sol et qu'on remonte comme si on allait à la pêche avec leur corps même. J'en avais mal dormi. Des photos les montraient en pleine chute, la liane figée en spirale dans les airs. On ne voyait pas les visages. Tous les hommes de la tribu y avaient passé. On ne faisait pas de passe-droit.

Je descends tout le boulevard jusqu'à l'ouest en me concentrant sur mes pas, en inventant des assonances pour ne pas penser.

Ce n'est qu'en franchissant le seuil du grand édifice de la rue Peel que je prends réellement conscience du but de mon voyage. Je viens chercher du travail. Dans moins d'une heure, je vais être exposé à de purs étrangers qui auront à juger de mes aptitudes à devenir, selon le papier jaune, *commis classe deux.* Mon trac ressemble à une sorte de faim. C'est un peu plus troublant que la faim. C'est plus bas que la faim.

Je déplie le papier jaune que m'a donné ma mère et je le tends à une dame de la réception qui me dit que les entrevues ont lieu au quatrième, que je suis très en retard et que c'est monsieur Bénard des Ressources humaines qui fait passer les entrevues.

Nullement pressé d'affronter les Ressources humaines, je monte les étages à pied en gardant un pouce dans ma poche arrière pour me rassurer. Je sens mon billet de vingt dollars. Il est toujours là. Je répète tout bas « Monsieur Bénard... Monsieur Bénard... » pour ne pas l'oublier.

Aux étages, on entend le bourdonnement des affaires sérieuses : des calculatrices électriques, la mitraille d'une machine à écrire, une boîte d'archives qui se fait pousser du pied.

Au quatrième, le couloir offre une perspective droite d'un beige rosâtre à perte de vue. Une porte est restée entrouverte et j'aperçois un homme qui roule le bout de ses doigts, un à un, dans un tampon d'encre noire pour les imprimer, un à un, sur une fiche ; quelque part derrière on fait une photo au flash. C'est donc vrai qu'on engage. Dans le corridor, on a adossé six chaises contre le mur, près d'une porte à fenêtre givrée. Un jeune homme, un seul, est assis près de la porte. Il garde les mains jointes.

Je lui montre mon papier et lui demande :

— C'est ici pour le concours ? Commis classe deux... Monsieur Bénard...

D'un signe, il me désigne les autres chaises et pas un mot ne se dit entre nous pendant les vingt minutes qui suivent. Des employés de tous les rangs circulent dans le corridor, habitués. Certains rient entre eux. D'abord fasciné par leur naturel, je ne tarde pas à me sentir misérable. Je n'imagine pas comment je pourrais être, moi aussi, un jour, rompu à une compétence technique. Manipuler une machine avec assez d'expérience pour parler d'autre chose en même temps, sourire aux collègues, prendre des nouvelles d'un tel sans qu'une de mes mains soit entraînée par le tapis roulant et déchiquetée par une trieuse quelconque. Je suis inapte avec les outils. Inapte. Il ne faut pas avoir peur des mots. Je ne sais rien d'autre que jouer aux cartes avec ma mère et feuilleter le *Larousse* pour m'échauffer l'imaginaire avant de m'endormir. Et dormir. Ça, dormir, je pourrais en montrer.

La porte à fenêtre givrée s'ouvre. Un jeune homme cravaté, apparemment enchanté, la referme délicatement. Au bout d'une minute, une dame en chemisier blanc cassé l'entrouvre et demande : « Monsieur Nantel ». Mon voisin s'éponge les paumes contre son pantalon, respire profondément et bondit de son siège. Je pense au mot *primesautier,* qu'on utilise peu à mon avis, et ensuite que je n'aurais pas dû mettre mes jeans. J'aurais dû mettre un pantalon de gabardine. Mais qu'est-ce que la *gabardine* ? Je n'en sais rien. D'ailleurs je ne sais rien. On s'en rendra compte assez vite pour me renvoyer à ma banlieue en moins de temps qu'il n'en faut pour dire *tri primaire.*

Quand la porte à fenêtre givrée s'ouvre de nouveau pour libérer monsieur Nantel, je respire profondément et je serre la main de la dame au chemisier blanc cassé. Sans en être certain, je crois qu'elle est écœurée par la moiteur de mes paumes. Nous nous assoyons face à face, un petit bureau nous sépare.

— Je suis madame Pearson, nous attendons monsieur Bénard, dit-elle en s'essuyant la main avec un kleenex.

— OK.

— Pardon ? demande-t-elle en levant les yeux vers moi.

— J'ai dit : OK.

À ce mot qui semble la surprendre, elle trace un petit signe dans le coin de sa feuille et repose son crayon bien droitement devant elle.

Elle ne prononce pas une seule syllabe, pas une seule voyelle, pas même un tic de langue, pendant cinq minutes. Rien. Je regarde la fenêtre ; elle croise les bras. Je me décrotte un ongle pour arrêter tout de suite ; elle soupire. Je toussote ; elle ne cille pas. Je me souviens tout à coup que le sourire est mon point fort. Il n'y a pas de mot pour dire l'expression qu'elle fait à ce moment-là.

Entre, par une porte intérieure, monsieur Bénard qui se lance sur moi pour me serrer la main. Sa poigne est violente et sa voix est forte.

— Roger Bénard, Ressources humaines, dit-il en secouant ma main.

— Bonjour, monsieur Bénard.

— Monsieur ? demande-t-il, attentif.

— Bonjour, monsieur Bénard, redis-je, m'efforçant d'imiter son volume.

Il regarde madame Pearson qui ferme doucement les yeux, l'air de faire un petit signe négatif. Monsieur Bénard, agressif, me demande comment je compte m'y prendre pour convaincre les petites entreprises d'enliasser les circulaires en fonction du code postal. Je tombe des nues.

— Ben, c'est parce que…

— Pouvez-vous seulement me dire à quoi sert le code postal ? coupe-t-il. Vous aurez à rencontrer des dirigeants d'entreprises, des secrétaires de direction, des préposés aux communications pour leur expliquer. Comment ferez-vous ?

— Ben, c'est-à-dire… moi c'est seulement pour *commis classe deux…*

Je ne trouve plus mon papier jaune. Madame Pearson chuchote quelque chose à monsieur Bénard qui, en réponse, regarde sa montre.

— Ce sera tout, dit-elle en refermant son dossier.

Sa voix est sèche.

Tout le monde se lève et je me retrouve soudainement dans le corridor, mi-étonné, mi-soulagé que l'affaire soit arrivée à son terme.

Je dévale les marches, tout léger. Libre.

En sautant pieds joints sur le trottoir de la rue Peel, j'ai un étourdissement. Il est temps que j'avale quelque chose. N'importe quoi. Mon billet de vingt est toujours à sa place.

Par deux fois, j'ai failli entrer dans un restaurant, séduit par une vitrine tout entière de cheese-cakes chapeautés de fraises incarnates, ou, plus loin, par une rôtisserie aux allures de cabane tyrolienne, mais l'idée de casser mon vingt m'a fait hésiter, puis renoncer. Si j'arrive à tenir le coup sans rien dépenser, mon billet restera dans ma poche, intact, comme une sécurité.

La chose à faire maintenant, c'est de donner un coup de fil à ma mère pour lui dire que l'entrevue s'est plutôt mal passée et qu'à mon avis la partie était jouée d'avance. D'abord on ne m'a pas adressé la parole, ensuite on ne m'a pas laissé placer un mot. C'était une farce. Dès que je casse mon vingt, je téléphone.

Les marquises et les affiches proposent des titres évocateurs. *La Nef des sorcières* se détache en italiques sur une affichette en lambeaux, en partie masquée par des autocollants de grévistes. La chose a l'air d'une œuvre assez dense, merci. Je vois déjà les vieillardes échevelées à bord d'une caravelle aux voiles loqueteuses, elles tendent la main, elles séduisent des enfants avec des caramels, des pains d'épices, des suçons zébrés, pour les engraisser au sucre avant de les faire rôtir. Je laisse le scénario évoluer jusqu'à ce que, lassé, j'aie le sentiment d'avoir déjà vu la pièce et le vague souvenir d'avoir bien aimé ça.

Un homme aux mains enfoncées dans ses poches de paletot me bouscule, et je me retourne en disant : « Oui ? » Il continue son chemin parmi les autres. Je ne comprends pas. Je reste cloué sur place en me demandant si je le connais, ce qu'il me voulait. Des yeux, je le recherche. Il a disparu. Il n'existe plus. Il me laisse avec le souvenir de son choc sur mon épaule. C'est tout. Ça ne veut rien dire. Ça ne signific rien. Je suis en ville et les accidents arrivent. C'est mathématique. Cet homme qui m'a heurté, n'a jamais eu l'intention d'entrer en contact. Je suis une borne, un poteau, une laisse de chien qui fait trébucher. C'est le nombre qui explique ça.

Il est cinq heures et la faim commence à modifier mon humeur.

Au détour de la rue Saint-Denis, il y a un bar, *Chez Dumas*. Je m'approche de la fenêtre, la main en visière, pour voir. Les gens ont l'air normal. Rien de la taverne dépouillée où les hommes cuvent leur cervoise, l'œil torve. Au contraire, on dirait qu'un trio de jazz accorde ses instruments. Le barman astique des coupes. Une serveuse passe entre les tables avec un plateau de bouteilles. J'entre, tenaillé par la faim, ne pensant qu'à la bière.

J'aime tout de suite l'air chaud, la planche rustique sur les murs et la brique restaurée. Je m'affale sur une banquette et je souffle dans mes mains pour les réchauffer. Je sors mon billet de vingt et le garde tout plié dans mon poing. Une blonde aux cheveux lisses et longs s'approche avec son plateau rond où s'empilent des cendriers sur de la monnaie éparpillée. Elle me fait un petit clin d'œil du genre « je ne te demanderai pas tes cartes. »

Je remarque une belle fille qui tète une Carlsberg à une table du fond et je demande :

— C'est combien une Carlsberg ?

Le sax du trio souffle son attaque traînante, contrebasse et clavier suivent et je ne comprends pas ce que la serveuse répond. De petits applaudissements crépitent. Elle dépose un bol d'arachides salées à côté du cendrier devant moi et s'en retourne pour embrasser un homme en veste de jean qui vient d'entrer. Il lui flatte les reins de sa main poilue et, avec un petit pas de danse, elle tourne sur elle-même, délicieusement, avant de continuer, plateau à bout de bras, vers le bar.

Le monde est beau. Le monde a les joues rosies par le froid et les mains pleines de *peanuts* gratuites. On se faufile entre les tables, les franges de ponchos passent sur les cendriers et rien n'est grave. C'est un ballet de cuirs, de velours pourpre, de suède paprika, de tissus lourds et de cheveux bouclés dans une brume de rouleuses, de *pot* et de Gitanes sans filtre.

La serveuse blonde revient avec ma bière. Je lui tends mon vingt tout déplié, anxieux de calculer rapidement le prix de la bière d'après la monnaie rendue et de rendre un pourboire qui laissera l'impression que j'ai l'habitude des transactions.

— C'est déjà payé, dit-elle avec, de nouveau, un clin d'œil.

— Ben, merci.

— Regarde-moi pas, dit-elle en riant.

Et elle continue sa ronde.

J'ai trop faim pour ouvrir une enquête. Je verse la bière dans mon verre bien incliné pour éviter de faire un col de mousse et je cale une goulée tant espérée que je la sens passer jusque dans mon ventre. C'est bon. *Bon* est un mot exquis qui se multiplie à volonté.

Quand mon regard s'arrête sur lui, un homme portant une chemise orange lève discrètement son verre. Je lui rends le geste avant de comprendre qu'il s'agit de mon bienfaiteur. Il est seul, lui aussi. Je n'ai jamais vu de chemise pareille. Elle est d'un orangé variable qui va, selon l'éclairage, du citrouille soutenu au mandarine saturé avec, sur le rabat d'une pochette, un ZIHUATANEJO en broderie bien limette. Il porte une courte barbe d'un noir pur, découpée droit et qui contraste étrangement avec ses cheveux filasse, clairsemés. Ses yeux, derrière d'épaisses lunettes de corne, ne me lâchent plus. Il me fait un autre signe de la tête que je ne comprends pas et que, pour être poli, j'imite. Il se lève immédiatement, pour venir me retrouver. Il apporte son bol d'arachides.

— *Calme bloc ici-bas chu d'un désastre obscur,* me dit-il, avant d'engouffrer une poignée de noix.

Le jazz est fort. Je lui demande de répéter. Il crie « Mallarmé ! » comme une réponse de quiz. Je dis : « Bien sûr... » comme si c'était une évidence.

— Tout comme celui-ci : *aboli bibelot d'inanité sonore.*

Je répète « aboli bibelot... » J'adore le son que ça produit. « Aboli bibelot. » Je suis heureux, j'ai une bière, je ne suis plus sur la rue Peel, je ne suis plus dans la rue, le monde est beau et le barbu semble ravi, complètement ravi, que je goûte à ce point « aboli bibelot ». Presque ému, il se rapproche de façon à ne plus être de face mais à ma droite. La place est petite et nos jambes se frôlent.

— C'est bien d'aimer les mots, mon ami.

Je joue sans risque et réponds :

— Mallarmé ?

Il me trouve drôle. Il partage mon goût pour les mots, je crois, et pour les allitérations. Je crois qu'il aime aussi mon genou, il aime me palper le grasset, en riant. Il est comme ça. Orangé, vibrant, cordial. Nous buvons nos bières. Les couleurs sont chaudes. La musique est *live.* Mais la plénitude est brève. Une ombre passe : je me rembrunis à penser que je vais rentrer bredouille. Ma mère sera tout ouïe, elle se déperruquera et voudra savoir comment l'entrevue s'est passée, voudra savoir quand je commence. Voudra savoir combien je vais rentrer par semaine, en replaçant ses vrais cheveux. Combien je pourrai mettre pour le loyer. Je ne sais pas, je ne peux pas imaginer comment je vais amener le sujet. C'est décidé, je vais mentir. Je tâte mes poches de chemise en annonçant que j'ai un coup de téléphone à donner.

— Tiens, me dit le barbu en me passant de la monnaie.

J'accepte la pièce.

Un index planté dans l'oreille, le corps fondu contre le téléphone à l'entrée, j'entends à peine les trilles mats de la sonnerie. On ne répond pas. Ma mère a peut-être arraché le fil, le temps de « discuter loyer » avec le propriétaire, ou alors elle a coiffé sa « tuque rouge » pour aller discuter de ça ailleurs, dans un chalet dans le nord où la crème de menthe coule à flots. Le propriétaire est propriétaire de tout ce qu'il touche. Le pouvoir de cet homme-là m'échappe. Bon, on ne répond pas de l'autre côté du pont. Je laisse sonner encore un coup, et je dirai que j'ai essayé cent fois, que ça ne répondait jamais.

Je raccroche du doigt et je reste là à tenir le combiné pour faire semblant, le temps de réfléchir. La bière m'a ramolli. Le barbu, je le crains, va finir par me poser des questions. Il voudra tout savoir. Ma couleur préférée. Ce que je fais dans la vie. Si j'ai une auto. On finit toujours, quelque part, qui sait pourquoi, par demander : « As-tu une auto ? »

Je respire profondément. Et j'affronte.

De retour à ma place, deux bières neuves ressuent devant moi. Le barbu dit qu'il a « pris la liberté de regarnir notre table ». Je lui souris. Le sourire est mon point fort. En m'écrasant à ma place, je dis :

— *Aboli bibelot,* j'aime bien le son que ça fait.

— *Aboli bibelot d'inanité sonore !* précise-t-il.

— Oui, oui, bien sûr…

Le barbu m'explique comment Mallarmé a voulu, toute sa vie, faire des objets intellectuels extrêmement ramifiés pour que la lecture, ce travail contre l'absurde, n'ait pas de fin ; il dit qu'il y a, derrière une position d'orfèvre comme celle-là, une volonté métaphysique que peu d'exégètes reconnaissent. Ensuite il peste contre les tendances actuelles de la critique. Je n'entends pas tout et le jazz est fort, mais je sens qu'il parle depuis une sphère où rien de grave ne peut arriver. Je suis sûr que personne n'a demandé à Mallarmé de quelle manière il s'y prendrait pour convaincre les petites entreprises d'enliasser leurs circulaires en tenant compte du code postal. Je suis sûr que Mallarmé n'a jamais eu à craindre les sangles d'une enliasseuse. Une paix rayonne quand le barbu parle. Ses yeux brillent.

Je lui demande s'il sait tout Mallarmé par cœur et il éclate de rire. Il est chercheur. Il parle de ça. Mallarmé est un peu son travail. Ensuite, c'était i-né-vi-ta-ble, il me demande ce que j'étudie, moi. J'hésite un peu, je dis : « Bof » et j'explique que je suis (je fais un geste vague) en période de réflexion. Ma réponse le refroidit. Il sirote sa bière. Soit qu'il me soupçonne de cacher que je n'étudie plus depuis belle lurette pour me consacrer à une tâche de brute comme le tri des petits paquets au bureau de la rue Peel, soit qu'il voit clair que c'est un mensonge pour ne pas dire que je ne fous rien de mes journées. Et si j'avouais simplement que je ne vais plus à l'école parce que j'ai raté trop de matins et qu'au moment où j'ai pris la ferme résolution de finir mon secondaire, j'avais accumulé trop de retard, j'étais loin derrière, la caravane m'avait laissé pour compte, tout seul et sans eau en plein désert. Je ne peux pas avouer ça à un homme qui s'est usé la vue à relire Mallarmé.

— Mais, vous savez, j'aime les mots, dis-je pour détourner ses pensées, j'en suis sûrement à ma troisième lecture du *Petit Larousse.*

Je ne le convaincs pas. Une gloire s'est éteinte comme si Mallarmé n'avait jamais existé. Le barbu est désormais sans humour. Sa main fonce de ma rotule vers le cœur de ma cuisse.

— On va aller ailleurs, dit-il d'un ton qui peut passer, noyé dans le jazz ambiant, aussi bien pour un ordre cassant que pour une question.

— Je ne connais pas vraiment le quartier...

— On va chez moi, j'habite au carré Saint-Louis.

— J'ai faim, moi. Vous n'avez pas faim ? Je mangerais une pizza, quelque chose...

Je veux qu'on parle encore. Je veux savoir comment Mallarmé passait ses journées, ou bien le truc sur la volonté de ramifier... contre l'absurde... Il me semble que cette idée-là a beaucoup de bon sens. Je parlerais une semaine entière sans dormir.

— Une autre ? demande-t-il en tenant son verre.

— Je ne sais pas... Oh, juste une autre.

Je suis bien content de son offre. J'ai trop bu mais j'accepte. Je souris comme je n'ai jamais souri.

Nous buvons sans parler. Je fais mine d'être honnêtement intéressé par les montées chromatiques du trio de jazz. Je hoche la tête en pensant à *chromatique*, qui vient de *chromos*, qui veut dire *couleur*, qui a glissé vers *musique*... Je me demande s'il existe un « grand » *Larousse.* Ça doit... Lui, penché vers une table voisine, semble prendre des nouvelles d'une connaissance. Le barbu est très gros. Je le remarque maintenant. Sa posture fait pendre ses seins, gonfler davantage son ventre et sangler presque au point de rupture son pantalon de velours côtelé. L'orangé de sa chemise rend son obésité rayonnante, solaire, magnifique. Il donne l'impression de tout connaître. J'entame ma énième bière, je m'avachis un peu et je commence à croire qu'en se tenant suffisamment proche, on pourrait fréquenter la connaissance *par osmose.* J'aime la voix du barbu, la façon qu'il a de faire exister ce qu'il dit, et je me mets à souhaiter qu'il dise certains mots, juste pour voir. Je connais tous les mots mais pas leur magie. Lui, il dit *bibelot* et je n'en reviens pas, je n'en reviens tout simplement pas : je vois la chose.

Je passerais une année complète sur la banquette de *Chez Dumas* à me repaître de vers hermétiques et de barrissements de sax. À l'idée de rentrer chez moi pour donner les détails de mon échec aux Ressources humaines et voir naître la furie dans les yeux de ma mère, je préfère cent fois sourire, boire des Carlsberg, dire : « Mallarmé ? » de temps à autre, et puis me lancer comme un Africain tout nu, tout entier contre cette chemise orange avec juste ce qu'il faut de corde pour ne pas mourir écrasé, en me disant que c'est la vie, que tous les hommes de la tribu doivent passer par là. Il suffit de fermer les yeux et de sauter. Le barbu se redresse enfin pour revenir à moi et, visiblement, il n'a plus grand-chose à me dire. Il ne cite rien. Il commence à s'ennuyer.

Le temps a passé. Il est presque dix heures. J'ai bu et presque autant pissé. Mes mollets pèsent une tonne.

La bière ne me rassasie plus et je crains que le barbu n'ait envie de me plaquer là. Je touche son bras et, contre son oreille, je lui dis que s'il me paye une pizza, on pourra aller chez lui après. Il s'efforce de sourire et son geste me redonne confiance. Il enfile tout de suite sa veste de mouton.

Nous sortons sans finir nos verres.

Nous montons la côte de la rue Saint-Denis. Il ne parle pas. Je lance des phrases comme « C'est vraiment froid, ce soir ! » ou « D'après moi, la neige ne va pas tarder ». Le barbu est maussade. Je crois qu'il se sent floué. J'ai le sentiment de lui avoir fait perdre son temps. Je lance mes clichés sur le froid avec une verve de soûlon.

Il soupire : « *Ô bête en qui vont les péchés d'un peuple...* » comme s'il parlait tout seul.

— Mallarmé ?

— Tu t'en viens bon, dit-il en souriant à peine.

Je viens de gagner une décimale de point. Je prends son bras et colle ma tête dessus, tout fier, content d'avoir un ami, me sentant assez fort pour affronter le monde et la ville, convaincu qu'on ne me bousculera plus sur les trottoirs, qu'on n'osera plus le faire, on me laissera passer parce qu'on est deux et ce qu'on est deux à demander, on est sûr de l'obtenir. Je me laisse aller à ce qui se présente, ouvert à la nouveauté.

Et j'ai terriblement envie.

En pissant contre un orme du carré Saint-Louis, je remarque qu'il neige. Je ferme les yeux pour jouir des flocons qui fondent sur mon visage. Il est tard, l'heure de me coucher est passée depuis longtemps, mais je ne sens plus ma fatigue et cette première neige me rend un peu fêtard. Mon vingt est à sa place ; dès que j'en palpe la forme, je me sens mieux. Tout à coup, c'est une émotion spontanée, j'ai la conviction que j'ai de belles années devant moi. La vie commence.

Rezippé, je tournoie les bras en croix. Le barbu m'attrape par les cheveux.

— Je sais, il faudrait que je les coupe, dis-je.

— Ne touche à rien, dit-il en les empoignant fortement. Viens dormir chez moi.

Il resserre légèrement sa poigne.

Je ne me vois pas retourner à la maison, prendre la rue des immeubles uniformes pour rentrer dans le pigeonnier qui porte mon chiffre. Il est à peu près certain que ma mère ne m'attend pas. Je la vois très bien en train de souper dans un steak-house où les serveurs sont polis, sa « tuque » de rougette bien en place, mastiquant son bœuf en endurant du propriétaire, pour la cent unième fois, le récit grossi de ses fraudes fiscales.

Le barbu me ramène contre lui et se met à serrer mes cheveux de plus en plus fort. La tête renversée, je lui dis sur un ton souriant :

— Ça fait mal…

— Tu aimes ça quand ça fait mal ?

Le monde serait parfait si je répondais : « Oui, monsieur. » Le barbu, lui, semble en être convaincu. Je me dégrise vite. Je vois la vapeur de mon souffle disparaître dans le froid, embuer le coin de ses lunettes. Il est tellement proche que je sens la chaleur de son corps. Je pose ma main sur son torse, puis je palpe son sein. Je voudrais dormir dessus. Je passe mon doigt sur les broderies limette qui tracent un mot sur sa chemise.

— Je connais ton genre. Tu aimes ça quand ça fait mal.

Je ne réponds pas. Je n'ai plus la tête à penser. Une chose m'apparaît clairement, rien qu'une : je ne remettrai pas les pieds sur le pont.

— On avait dit : la pizza avant…

De guerre lasse, le barbu acquiesce.

LE SORT DE FILLE

Il y a un autocollant sur le frigo des Trudeau avec le nom de ceux que je m'occupe de nourrir : Smokey, Blacky, Bobby, Sam, Rex et Fille. Je suppose que Blacky est un des deux chiens noirs. Je crois que Sam est le berger allemand. Je sais, parce que les Trudeau m'en ont parlé longuement, que Fille est le chihuahua morveux affligé d'une sorte de tremblante. La chienne donne l'impression de ne plus en avoir pour longtemps. Elle *agonise* jusqu'à son assiette, elle *agonise* jusqu'à son tas de paille, elle *agonise* en faisant sa crotte. Les premiers jours après mon arrivée, son air piteux me chamboulait, mais hier, alors qu'elle me fixait, je me suis surpris à lui murmurer : « Qu'attends-tu donc ? Un coup de pelle ? » et je n'ai pas aimé cette pensée. Elle ne me ressemble pas. Avant de m'endormir, j'ai prié fort pour la consumer, la réduire en cendres toutes fines pour mieux la souffler dans l'univers et entrer dans la nuit sans cette crasse de violence. Au matin, quand j'ai enfourché le vélo pour aller au magasin général, je me sentais radieux. Un homme nouveau. L'air de la campagne était bon et le rang avait une netteté de tableau.

C'est au magasin général que j'ai rencontré Roseline Cardinal, ma deuxième voisine dans le rang. Les Trudeau l'avaient mentionnée. C'est une femme pas très grande aux lunettes épaisses qui maquille ses lèvres prune, une mauvaise idée qui lui fait une moue d'écœurement. Mes civilités m'ont permis d'apprendre qu'elle ne voit rien de drôle à son nom et qu'elle répugne fort à accorder son attention à toute personne séjournant chez les Trudeau. Quand j'ai commencé à lui donner des nouvelles des Trudeau, qui passent quatre mois chez des amis vendéens, elle m'a tout simplement tourné le dos.

Je l'ai retrouvée en ligne à la caisse, moi avec ma boîte de son d'avoine et elle avec sa demi-douzaine de petits gâteaux roses à la noix de coco et, caché en dessous, un paquet de trappes à souris ; j'étais juste derrière elle, contemplant la repousse grise sous sa teinture acajou et les petits flocons de peau morte qui se détachaient du cuir chevelu. Je lui ai tapoté l'épaule et j'ai remis ça avec une phrase en l'air : « La rumeur veut que vous tiriez les cartes. » Elle s'est retournée, l'air insulté.

— C'est pas une rumeur, monsieur. J'ai réellement un don !

J'étais désolé de l'avoir froissée, alors je lui ai lancé, comme ça, en pensant me racheter : « Il faudrait bien que vous me tiriez les cartes un de ces jours... » et elle a eu ce tic facial de l'adversaire qui vient de commettre une bourde.

— J'ai pas le droit, a-t-elle dit avec presque de la souffrance, de refuser une demande.

J'ai donc un rendez-vous avec elle cet avant-midi même à onze heures, je dois entrer par la cuisine d'été, il faut que j'apporte cinq dollars et il est bien clair que je ne reste pas pour dîner.

Au bureau de poste du village, je me suis retrouvé de nouveau derrière elle. Elle a pris les lettres que lui a tendues la postière et s'est mise de côté pour les passer vite en revue. Pendant que je signais le registre des petits colis, j'ai vu ses yeux lorgner du côté de ma boîte. « Vous devez bien vous demander ce qu'il y a là-dedans. » Mon ton était amical. Elle a claqué la porte.

De retour chez les Trudeau, j'ouvre ma boîte et j'aligne mes flacons neufs sur la tablette des épices : vitamine E, complexe B, varech suédois, biotine, levure de bière… Je jette un coup d'œil à la meute dans la cour. Les chiens sont écrasés à l'ombre sous l'abri de contreplaqué. J'espère pour eux que juillet ne sera pas cuisant.

Je comprends que des gens comme Roseline Cardinal regardent de haut la résidence des Trudeau. L'enclos des chiens n'est pas exactement un chenil bon genre. C'est un carré de terre battue entouré de grillage à poule, jonché de petits tas véreux qui se transforment, les jours de pluie battante, en une sorte de bourbe noire qui semble rejoindre les enfers.

Les chiens ont des puces. Je me fais une note pour ne pas oublier d'en parler aux Trudeau.

Je cale un lait de soya saturé de spiruline et je reprends le rang en direction de la ferme de Roseline Cardinal. Je dévale la route, le vent dans le dos, avec à ma droite les champs de luzerne toute jeune, passés au peigne, rayés de fossés. Une buse volette au-dessus des cultures. Les bords de route sont piqués de fleurs blanches et jaunes. C'est la campagne des brochures.

En tournant le coin dans la cour des Cardinal, je freine sec devant un homme dans la cinquantaine qui me vise avec un fusil de chasse. Je fige une seconde avant de comprendre qu'il nettoie son arme en mirant l'intérieur du canon. À côté de lui, un jeune adolescent tient prête une bombe de *WD40* tout en vidant, une chip à la fois, un tube de *Pringles.* Il a la pommette droite couverte de petites plaies cruentées et rutilantes comme s'il s'était arraché la peau à petites pincées. Il n'a pas l'air de souffrir. Il a l'air de s'être automutilé avant de passer à autre chose avec la plus grande banalité.

— Vous venez voir Rose ? demande l'homme en baissant son arme. Rose ! pour toi ! hurle-t-il sans attendre ma réponse.

— Est dans cuisine, explique le fils en serrant son tube de chips contre lui.

Du fond de la cuisine, Roseline me crie d'entrer.

J'accote mon vélo en forçant sourires et mercis. Sur le pas de la porte, l'homme me demande si je chasse. Quand je réponds non, il ne cache pas sa déception.

— Tête de canard ! me lance le fils.

Pour le réprimander, son père le nomme sèchement. Il s'appelle Jérôme.

Le prélart de la cuisine d'été est moite. Il flotte chez Roseline Cardinal une senteur écœurante qui trahit l'usage quotidien de sachets (soupes, sauces brunes, alfredo minute). Affairée à fouiller dans un tiroir, elle me demande si j'ai apporté mon cinq dollars. Je tapote ma poche de chemise. Je suis prêt.

Madame Cardinal s'assoit face à moi en soupirant comme si elle s'apprêtait à écosser un panier de pois. Elle n'a rien de la spirite en châle qui tourne de l'œil devant une suite d'enluminures des vieux pays ; elle a sorti un jeu ordinaire, à l'endos rose, patiné par une vie de revanches. Sans que j'aie rien vu venir, elle m'informe que mes numéros chanceux sont le 10, le 17, le 24 et le 1. Ensuite elle attend, une, deux, trois secondes, et elle me dit, visiblement impatientée, qu'il serait bon que je les note. Je n'ai pas de papier. Elle soupire et se lève pour aller me chercher une vieille enveloppe de l'Hydro.

— 10, 18…

— 10, 17, 24 et 1, répète-t-elle lentement.

La séance traîne ainsi pendant une petite demi-heure où je ne touche à rien. C'est elle qui fait tout. J'ai l'air d'un bénévole avec une vieille qui fait des patiences en marmonnant, çà et là, des phrases apprises. Huit de carreau : vous recevrez une lettre. Valet de cœur : d'un grand blond. Dame de trèfle : au sujet d'une brune. As de pique : méfiez-vous de lui !

Je m'intéresse davantage à la tablettée de cossins au-dessus de son évier. Un caillou veiné. Une cocotte de pin. Une bouteille brune qui aurait sûrement son prix aux yeux d'un antiquaire. Ont-ils été ramassés par son fils étrange ? Ont-ils, au fond, plus de sens que les prédictions futiles qu'elle est en train d'ânonner ? J'aurai des lettres d'inconnus porteuses de révélations qui seront, malgré la prédiction, inattendues. Des blondes acrimonieuses préparent des intrigues. Je dois ménager mon estomac. Il y a quelques années, j'ai traversé une grosse épreuve et je pense que c'est fini, eh bien, je me trompe. Puis Roseline Cardinal blêmit. Elle dépose les cartes. Elle ôte ses lunettes lourdes et se masse l'arête du nez en murmurant quelque chose qui sonne comme « mon pauvre monsieur… ».

— Quoi ? Qu'est-ce que c'est ?

— Il y a eu… commence-t-elle à tâtons. Y *a-t-il* eu, reprend-elle, une mort dans votre entourage récemment ?

— À ma connaissance, non…

Dès que je réponds, elle avale brutalement son air et tient le bord de la table pour se contenir, puis elle explose en frappant le jeu d'une claque solide. Elle me regarde droit dans les yeux, toute fière.

— C'est pas arrivé, ça *va* arriver ! Et bientôt en plus.

Elle est triomphante. Elle est absolument certaine. D'ici une semaine, j'enterre un proche.

— La mort est dans la maison, mon cher monsieur, conclut-elle avec un petit sourire.

Je m'intéresse au jeu. Je lui demande ce qu'il faut faire, ce qu'elle me suggère. Dois-je payer des messes ? Je lui dis que j'ai lu quelque part qu'il y a toujours moyen de conjurer un oracle parce qu'au fond, toutes les voies du destin reposent sur notre libre-arbitre.

— Pouvez-vous au moins me dire qui ? finis-je par demander.

Elle ramasse les cartes à deux bras. Sa lecture est finie. Je me durcis.

— Voyons donc ! Le six de pique donne « une amitié » et le sept de carreau donne « un proche meurt de façon fulgurante d'ici une semaine ». Ça n'a pas de sens !

— On ne gagne pas contre le destin, mon petit monsieur ! me lance-t-elle un peu incisive.

Elle me signifie ensuite, en se frottant les tempes, en s'épongeant le front, en se massant la nuque, que la séance l'a vannée et qu'il serait temps que je parte. Je me lève sèchement, dépose mon billet de cinq sur la table et tourne les talons.

— Vos chiffres chanceux, vous oubliez vos chiffres chanceux, me rappelle-t-elle. *Lotto Bingo, 6/49*... vous ne le regretterez pas.

Je chiffonne l'enveloppe dans ma poche. Dans la cour, l'homme à la carabine et l'adolescent aux *Pringles* ont disparu. Je me demande si je les ai imaginés.

Je m'en retourne, contre le vent cette fois, et plus je pédale, plus je sens monter en moi une rage. Une révolte. Une guerre pour garder la tête haute face à l'injustice. Mon état prend une telle ampleur qu'arrivé à la maison des Trudeau, je laisse choir le vélo comme si tout était de sa faute. « On va tous mourir, Roseline Cardinal, aussi vrai qu'on a tous une mère ! » Je parle tout haut comme un fou. Je déteste cette femme. Je ne sais pas comment je vais réussir à m'endormir cette nuit avec un ressentiment pareil.

Je vais voir les chiens pour me calmer. Ce sont de bonnes bêtes sans malice. J'agrippe les mains au grillage, y colle le front et un labrador fauve (Smokey ? Rex ?) se hisse sur les pattes pour me lécher les doigts. Je comprends que la cour des Trudeau puisse avoir l'air de braver les fermes voisines qui luttent pour le verdoiement de leur parterre. La maison est une habitation honnête sur deux étages, mais son laisser-aller lui donne par comparaison un air de bicoque. À elle seule, elle est comme le quartier pauvre du rang. Je l'ai vite compris. Il suffit que je dise que j'ai la maison des Trudeau jusqu'en octobre pour qu'on devienne distant. Les plus francs, comme Roseline Cardinal, me tournent le dos. Mais je ne veux pas penser à elle.

Je rentre croquer un comprimé de levure de bière. Ensuite je promène dans la maison un encensoir où fume une pincée de *Pope's mix*. La maison embaume le benjoin et la myrrhe des premières églises. Assis en lotus, j'ai à peine les yeux fermés que je sursaute devant l'évidence : comment puis-je me fier à une personne qui n'utilise pas de vrais tarots ? Toute ma peine me lâche d'un coup. Je reste une vingtaine de minutes à méditer, à osciller dans ma paix retrouvée.

Les Trudeau rentrent d'Europe à la fin d'octobre. Je peux jouir de leur maison encore quatre mois, jusqu'à l'automne, et je ne gâcherai pas mon séjour en campagne avec des images de malheur.

Je vaque à mes tâches. J'empoigne la poche de moulée sèche et j'en vide une généreuse ration aux chiens. Dès que le jour tombe, je me couche avec une camomille et un recueil de pensées.

Au réveil, j'avale ma glaire de lin, je fais ma routine d'étirements et je vais dans la cour saluer les chiens. Aucun d'eux ne bouge. Ils ont tous la queue basse et se tiennent à l'écart de la chihuahua qui gît sur son flanc, soufflant pesamment, l'œil chassieux.

— Fille ! Lève ! Allez, hop !

Je claque des mains. Elle ne répond pas. Elle n'est vraiment pas bien. D'après moi, elle ne passera pas la journée. Je vais devoir songer à l'enterrer. Il me semble que la pelle est dans la remise.

Je ne peux pas souffrir plus longtemps de voir les bêtes croupir dans leur chagrin. J'ouvre trois grosses boîtes de viande à chien ; le bruit de l'ouvre-boîte électrique les titille déjà. C'est une fête que je dois réserver aux samedis, mais je ne supporte pas leurs yeux tristes. Je vide la chose par cuillerées dans trois gamelles de tôle émaillée. Trois tas d'une galantine grasse où on reconnaît des sections de boyaux et des cubes d'organes bruns. L'odeur est simplement nauséabonde. Je nappe un des plats de mon reste de graines de lin trempées. Ça ne peut pas leur faire de tort.

Le moral des chiens remonte à la vue des gamelles pleines. Je prends Fille dans les bras et je la rentre dans la maison, la couche dans une serviette, lui laisse comme en-cas un petit bol d'eau et une petite soucoupe de viande que j'ai prélevée des gamelles. Je murmure : « Pauvre petite... » en lui grattant doucement la tête.

Je sors un papier, un crayon, et j'ébauche une phrase : « Fille, nous nous réjouissons de t'avoir connue... » que je rature tout de suite. Je me reprends : « Fille, que la terre te soit légère. » C'est mieux. Oui, c'est mieux. Il me semble que la pelle est dans la remise.

La remise est une cabane en bardeaux secs qui jouxte l'enclos des chiens. C'est un fourre-tout pittoresque où s'organisent dans un espace étouffant une tondeuse manuelle, des marteaux, une masse, des boîtes de clous, des vieux gallons de latex qui ont bavé les couleurs des chambres, des ratières rouillées et des souris grises au ventre blanc qui circulent, indifférentes, sur les combles. Il y a là effectivement une pelle bien solide. Une pelle en pointe, faite pour fendre la terre noire en forçant du pied. Fille n'est pas grosse. Deux pieds de creux devraient suffire.

En décrochant la pelle, je pense à Roseline Cardinal et le souvenir de sa prédiction m'atterre. Je lui dois des excuses. La mort est effectivement dans la maison. Je n'ai pas voulu la croire mais elle a vu juste. Tellement juste.

Au salon, Fille a rampé jusqu'à la soucoupe pour lécher les graines de lin qui nappent les cuillerées de viande. Son effort m'émeut. Je file immédiatement chez les Cardinal pour faire amende honorable.

Sur le chemin, je crois voir quelque chose comme une galette de crapaud sur l'asphalte.

Je frappe à la porte de la cuisine d'été et, au bout d'une longue minute, c'est monsieur Cardinal qui ouvre la porte avec un « Quoi ? » sonore. Il tient une trappe à souris dont l'amorce est enduite de beurre d'arachide.

Madame Cardinal et lui, me dit-il, sont occupés dans la cave et ne peuvent se libérer pour l'instant.

— Dites-lui que le voisin qui reste chez les Trudeau lui fait dire qu'elle avait raison pour sa prédiction. Je voulais m'excuser de pas l'avoir crue.

— Vous chassez pas, vous m'avez dit, han ? me demande-t-il.

— Non, je ne chasse pas.

— Ah oui, je me souviens, vous me l'avez dit. La chasse au canard, vous savez, quand on commence ça...

Il ne finit pas sa phrase. Il glisse dans sa tête et se met à jouir de visions personnelles, des visions de chasse, je suppose. Avec quenouilles, jambières, labradors fauves, vasières sur le point de geler et bouteilles de bière.

Je parle volontairement fort en disant : « Vous saluerez votre femme ! » Il sursaute et acquiesce.

Jérôme est assis au loin, adossé contre l'étable. D'une main il tient un tube de *Pringles,* de l'autre il dépose solennellement une chip sur sa langue comme s'il jouait à communier. Je lui fais signe de la main. Il me bénit d'un signe de croix.

En rentrant à vélo, je me surprends à penser que les gens de la ville sont insipides, et cette fois je remarque avec certitude non pas un, mais *deux* crapauds aplatis par des pneus. Je ne comprends pas qu'ils ne regardent pas avant de traverser. Même un crapaud devrait savoir ça.

À la maison, Fille dort en boule dans sa serviette. La pauvre créature respire avec difficulté. J'avance sur la pointe des pieds jusqu'à la cuisine où je croque une vitamine C et un comprimé de *Zinc plus* avec des gorgées d'eau.

Je creuse une fosse de deux pieds à côté de la maison, pas très grande, protégée de la vue des chiens.

Je compte laisser Fille dans sa serviette en guise de linceul. Je la déposerai délicatement, je lirai une courte prière et je la recouvrirai de terre bien tapée. Je mettrai dessus une pierre blanche, un galet, quelque chose pour montrer la tombe aux Trudeau.

Quand la noirceur arrive, je m'assois sur le perron avant pour nommer les constellations qui apparaissent graduellement et je vois, ravi, Vénus qui se détache du ciel comme une bille d'uranium. J'ai une bonne pensée pour Fille. Je lui souhaite une fin douce comme un glissement de barque. Je remercie Roseline Cardinal, instrument du Très-Haut. J'essaie, bien mal, d'ignorer la chauve-souris qui m'agace, mais en moins de cinq minutes, ce n'est plus faisable : elles sont une vingtaine à faucher l'air dans tous les sens. Un vrai fléau. Je rentre.

Au petit matin, j'ouvre les yeux et je reste presque une demi-heure à fixer la lumière du soleil qui éclaire le plafond. Je sais ce qui m'attend dans le salon et je rechigne à l'idée de l'affronter. Je me fais violence en me disant : « Courage. Avant midi, nous passerons tous à autre chose. »

Au salon, la serviette de Fille est vide. Son petit bol d'eau est à sec et sa soucoupe de viande, sauf quelques graines de lin qui y sont restées collées, a été proprement léchée.

— Fille ? Fille !

Fille arrive en courant. J'entends pour la première fois son jappement. Elle saute, elle danse en rond. Je crois qu'elle veut sortir, ou jouer, ou un biscuit... Je suis tellement abasourdi que je n'arrive pas à me réjouir.

Je lui ouvre la porte et elle file faire ses besoins devant les chiens de l'enclos, tous alertes, tous branlant la queue.

J'avale ma glaire de lin machinalement, puis je reste assis dans la cuisine, à fixer le plancher, stupéfait, incapable de penser.

En remplissant la fosse destinée à Fille, je suis pris d'un sentiment d'angoisse si fort, si total, que je recreuse avec énergie ce que je viens d'emplir, et je me dirige sans perdre de temps vers la ferme de Roseline Cardinal, décidé à en avoir le cœur net.

Dans un champ, un fermier fait déjà une première coupe de luzerne qui lève tout ce qu'il y a de moustiques dans le comté.

Dans la cour des Cardinal, il n'y a que Jérôme. Il est assis sur un billot qui sert à fendre le bois. Il tient une balle dans sa main. Il en scrute le détail comme s'il cherchait comment l'utiliser à force d'analyse.

— Ton père est là, Jérôme ?

— À l'étable. Il gosse.

— Il gosse...

— Des canards de bois. C'est moi qui vais les peinturer quand ils vont être finis.

— Ah... et ta mère ?

— Partie magasiner. En ville. Acheter des robes, des brassières, des souliers, des chandails...

— Oui, oui. J'ai compris.

Jérôme n'a pas une once de méchanceté. Nous parlons un peu. Quand je touche son épaule, il se dandine de contentement. Je l'écoute. Il paraît que Céline Dion va venir chanter à l'église dimanche prochain. Il paraît que lorsque les champignons sont assez gros et qu'il se met à pleuvoir, ils rêvent. Il paraît que les moustiques sont tristes cette année, ils ont le « pic mou ».

Jérôme est schizophrène, c'est clair. D'une laideur acide, plutôt attachant, il débite des symboles comme d'autres respirent. J'avais raison de pressentir que la voyance était plus fiable dans son glanage de traîneries au-dessus de l'évier que dans les carreaux et les trèfles de sa mère. Je sens que je peux me laisser aller avec lui. Je m'assois à son côté en soupirant, un peu découragé. Il me console en me tapotant l'épaule.

— Dis-moi, Jérôme, dis-moi, qu'est-ce que la mort ?

— C'est comme la vache. Quand elle meurt, elle tombe. Bong ! Le camion de monsieur Bernard vient la chercher et son âme s'en va à la viande avec Notre-Seigneur Jésus-Christ...

Jérôme est religieux.

— J'ai compris... Merci, Jérôme.

— De rien.

On n'étonne pas un fou. On peut tout lui dire. Absolument tout. Je lui ouvre mon cœur.

— Fille est pétante de santé, Jérôme. C'est peut-être moi qui vais mourir puisque la mort est dans la maison. Ta mère aurait donc raison après tout. C'est le cimetière qui m'attend. Rien d'autre !

— Ça va te prendre une pelle.

D'abord je souris, puis mon sang se glace. Comment peut-il savoir que j'ai pensé ça, en imaginant qu'il faudrait achever Fille ? La chienne me fixait et j'ai pensé : « Qu'attends-tu donc ? Un coup de pelle ? » Jérôme me fait peur. Il sait ! Il sait depuis le début !

— Je n'irai pas à la viande ! Dis à ta mère que je n'irai pas à la viande !

Jérôme laisse tomber sa balle et commence à ronger la peau de ses jointures en marmonnant. Je quitte la cour en criant : « Vous ne m'aurez pas ! M'entendez-vous ? Vous ne m'aurez pas ! »

Sur la route du rang, je sursaute à la vue d'une couleuvre verte avant de comprendre qu'elle a été figée par une auto, toutes viscères ouvertes. Je freine et je m'approche. C'était l'image même de la force tellurique toute en ventre aimanté contre la terre, et déjà les mouches s'affairent sur les tripes jaunes et la chair rose. La vie est un parfum volatil. Et puis, du coin de l'œil, je vois une fourrure blanche, noire et rousse flotter dans un fossé, peut-être un chat, le ventre putride et gonflé. Une chatte d'Espagne bien assise sur l'asphalte, qui a laissé une auto la frapper de plein fouet comme si elle l'attendait, résignée. Je ne regarde pas davantage. Je repars en rageant. Je ne suis pas une chatte d'Espagne et je ne mourrai pas cette semaine. Il n'en est pas question. Je n'ai rien contre Fille, mais c'est son tour. Pas le mien.

En arrivant, je remets Fille dans l'enclos et je secoue la poche de moulée au-dessus de l'auge des chiens. Je remplis les gamelles d'eau et je rentre. Je n'arrive pas à méditer. Je n'arrive pas à me calmer.

Il me faut un plan.

Je passe la journée à tourner en rond, incapable de rester assis, incapable de sortir. Je vais devant mon étagère de suppléments alimentaires et je fige. Pas une bouchée qui rentre. Je ne sais plus où j'en suis.

À trois heures du matin, fatigué de faire semblant de dormir, je sors compter les étoiles, mais le ciel s'est couvert. Il ne manque plus que ça. Du temps pluvieux qui s'annonce.

En fourrageant dans les armoires des Trudeau, je tombe sur une bouteille de calvados à moitié pleine. Je me dis que des pommes c'est naturel, que le calva c'est artisanal, et j'enfile d'une traite un bon deux onces qui me brûle la gorge et me galvanise l'estomac. J'en frappe le comptoir d'un poing. Le deuxième verre passe mieux.

Il a plu toute la journée et ça ne semble pas vouloir démordre. L'enclos des chiens est un lisier où a fondu tout ce qu'ils ont chié depuis des lustres et tout ce qu'ils ont laissé comme moulée. Fille est là quelque part avec eux au fond de l'abri. Je vois mal les têtes depuis la cuisine. Je n'ai pas dormi de la nuit à cause d'elle. Je ne suis pas dupe de sa rémission. Tôt ou tard, elle va infecter les autres.

Je prends une bonne gorgée de *Johnny Walker,* j'essuie mes lèvres sur la manche de ma chemise. Le scotch, c'est des céréales. Ça fait du bien. Je n'ai plus peur de la mort de Fille. Avant que le jour tombe, j'irai jeter un coup d'œil au trou que j'ai fait pour elle. Je ne veux pas que la pluie défasse mes efforts. Il faut garder au moins deux pieds de profond.

Je voudrais faire une sieste, mais dès que je m'assoupis, Jérôme m'apparaît en vision, avec sa joue pincée au sang toujours au même endroit, il lève ses yeux bleus inexpressifs vers moi et, dès qu'il ouvre la bouche, la crainte me secoue et je bondis hors du lit.

Dans la soirée, je sors voir le trou. L'eau l'a fait imploser. En quelques pelletées, j'arrive à rendre la fosse de nouveau acceptable. Dès que le travail est fait, j'ai un étourdissement puis une nausée que j'arrive à contenir. Je rentre.

Avant minuit, la pluie tourne à l'orage, les fenêtres sont brouillées et les coups de tonnerre me fouettent. Le courage me vient du ciel. Je finis l'once qui traîne au fond de la bouteille de *Johnny Walker* et je sors, la pelle solidement en main. Je gueule.

— Fille ! Ici, Fille !

Je trébuche sur le seuil de la porte et glisse sur l'herbe gorgée d'eau. L'accident me rend furieux. Je vois rouge. J'arrache la barrière de l'enclos et, dès que je mets le pied dans la vase des chiens, je tombe à la renverse. Je sacre en frappant des poings. Ruisselant de merde, de boue, de parasites, de purée de moulée, je crie le nom de la chienne comme on hurle à la lune. Les animaux sont tous collés les uns contre les autres dans un coin de l'abri, terrorisés par l'orage. Quand la foudre éclaire la nuit, j'aperçois la petite tête aux yeux noirs parmi eux. Elle est là.

— Fille, j'ai dit : « Ici ! »

Je fonce sous l'abri et la saisis par la peau du cou. Elle couine, je crois. Je la lance dans le coin des gamelles. Il se peut qu'elle chiale un peu, la pluie battante rend sourd et le tonnerre roule. Je lève la pelle et, fonçant vers elle, j'assène un coup si fort que le choc me secoue la colonne. Je la rate. Elle me regarde dans les yeux, sa mâchoire sautille comme si elle trillait une plainte ou grelottait de froid. Je la tasse du pied dans le coin de l'enclos pour ne plus la rater. Je lève les bras le plus haut possible et je crie : « Que la terre te soit légère ! » Je frappe en donnant tout ce qu'il me reste de force.

Les champs devant la maison sont tous moissonnés et rayés d'une salicaire roussie qui était encore pourpre et grouillante d'oiseaux le mois dernier. Octobre est froid. C'est bon pour la chasse au canard, prétend monsieur Cardinal qui ne sait plus où donner de la tête par les temps qui courent.

Le vin que je bois tape. C'est du *Cuvée ma maison*, un rouge suret éclairci à je ne sais quelle chimie. La note de fruits rouges que promet le carton du vinier ne s'est jamais vraiment manifestée, à mon avis. Ma coupe est givrée d'empreintes grasses. Je cale les gorgées sans fléchir, l'une après l'autre. Sur les marches de la galerie. Avec Jérôme.

La première fois qu'il est entré dans la maison, j'étais abruti par ma vinasse, à plat ventre sur le divan, et j'avais pissé dans mes culottes en dormant. Il s'est dirigé vers un bibelot au-dessus de l'évier, un petit coq en bois peint, et s'en est emparé comme d'un ostensoir en traçant des signes de croix dans le vide. Il a dit, mot pour mot : « Seigneur, pénétrez-moi de vos péchés malgré vos sentiments car je ne suis pas digne de vous recevoir. » Je me suis redressé, intrigué. Ensuite il a traversé la pièce et s'est assis devant moi l'air de demander : « Qu'est-ce qu'on fait d'autre ? » Il arrive le midi, s'assoit sur les marches, pince sa joue toujours au même endroit, commence par gratter la croûte de la veille, puis va chercher le vif avec ses ongles et taillade, et taillade. Toujours sous l'os de la pommette. Il ne m'écoute pas quand je lui dis d'arrêter. J'ai renoncé à l'en décourager. Je bois mon rouge jusqu'à ce que sa manie me laisse indifférent. Chacun sa croix.

Mon séjour s'achève. Je me suis bien acquitté des corvées. Dans une semaine, les Trudeau vont rentrer d'Europe, heureux de retrouver les chiens les plus vitaminés de la province.

Un 4X4 passe devant nous, filant vers les battures. Les hommes dans le cab jubilent, canons en l'air comme des petits bonshommes de guerre en motif camouflage qui prennent congé des femmes chipoteuses. Ils vont se recueillir dans la vase froide, sans parler, sans tousser, pendant des heures, sérieux comme des papes.

— La chasse, Jérôme, est une messe pour des hommes pas rasés qui puent.

— Comme toi.

— Oui, Jérôme. Comme moi.

Un deuxième camion passe. Ça rit fort en passant devant nous. Un des chasseurs jette une canette de bière vide sur le terrain. L'objet fait un bel arc dans les airs.

— Tête de canard ! hurle Jérôme

— Jérôme, rassieds-toi, dis-je en bâillant.

Dans une heure, on va entendre des salves de plombs. Des pets sourds qui vont faire tomber une oie comme une poche de terreau, éventrée, les boyaux rouges mouillant son duvet. Des labradors en délire pataugeront jusqu'au cadavre fumant. J'annonce à mon ami que c'est l'heure des *Pringles.*

— Ça, c'est une bonne idée !

Je rentre chercher un tube pendant qu'il se tortille d'impatience. Ce sont mes seules réserves : *Pringles* et *Cuvée ma maison.*

Je tends une petite pile de chips à mon ami qui en dépose une contre sa langue et la laisse fondre dans sa bouche.

De son museau, Fille se fait un chemin sous mon bras. L'odeur des *Pringles* l'a émoustillée. J'attends qu'elle fasse la belle et je lui en accorde une. Elle la saisit délicatement dans sa mâchoire et l'apporte dans un coin pour la lécher avant de la croquer. La petite vlimeuse est vive. Je me souviens parfaitement du soir d'orage où j'ai voulu l'assommer. Elle glissait entre mes jambes, sautait dans les airs. C'est tout un sport que de l'attraper maintenant.

Nous avons tous en nous un monstre que personne ne soupçonne.

Prenons Jérôme. Qui penserait que Jérôme a déjà tranché la tête d'une tortue vivante ? Qu'il a pesé fort sur la carapace verte pour la forcer à étirer son cou de serpent. Qu'il a procédé à un sciage patient dans les chairs élastiques. Avec un vieux canif émoussé. Mon Jérôme aux yeux si bleus, au regard si candide. « Elle dépassait. » C'est tout ce qu'il a à dire.

Moi, je suis trop mou pour faire quoi que ce soit qui s'approche d'un geste comme ça. Comme chacun, mon corps est fait pour la conquête de l'Everest ou la chasse au canard, mais la vie a fait que je suis devenu autre chose. Quelque chose comme un chien attaché.

— Ta mère va s'inquiéter, Jérôme. Tu devrais rentrer. Il est passé six heures.

— Prière du soir, espoir. Prière du matin, chagrin.

Jérôme est sentencieux.

La vie est simple. Je bois et je ne redoute rien d'autre que la fin de mon ivresse quand je me lèverai pour tituber jusqu'au bol de toilette. Vomir un peu.

Dormir un peu, étendu sur la lirette. Quand le vinier de *Cuvée ma maison* s'allège, je m'inquiète et toutes mes pensées vont vers le vinier neuf. Je n'ai pas d'humour avec la pénurie de vin rouge. D'ailleurs, je ne ris plus beaucoup. Oh, bien sûr, quelquefois un mot inspiré de Jérôme me fait sourire. Dis quelque chose de drôle, Jérôme, avant de partir. Amuse-moi, mon fou. Ma tête de canard. Mon dernier lien avec Dieu.

LE VIEUX CHÈVRE

Au beau milieu d'une phrase, monsieur Gilbert arrête tout, les mains en l'air comme un chef d'orchestre qui ordonne une pause. Et il grimace.

— Mau ! Il y a un chèvre sur le plateau ? demande-t-il.

Derrière lui, s'avançant avec le plateau, Mau s'écrie : « Mon Dieu, Gilbert, excuse-moi, j'avais oublié ! » et il fait volte-face vers la cuisine.

— Je déteste le chèvre, m'avoue-t-il. Je suis incapable de voir un chèvre. L'odeur me lève le cœur. Penser que du monde se mettent ça dans la bouche…

— Je m'excuse, je m'excuse, chuchote Mau dans l'autre pièce.

— C'est ma faute, expliqué-je, c'est moi qui ai apporté le chèvre.

— Non, c'est ma faute, corrige Valérie, c'est moi qui l'ai choisi. Tu aurais dû me le dire, ajoute-t-elle à mon intention.

— Je le savais pas, lui dis-je un peu irrité.

Monsieur Gilbert ferme les yeux et s'évente avec sa main. Mau revient avec le plateau où il reste un carré de cheddar blanc et une pointe de jeune brie. La place du chèvre a été comblée par des grappillons de raisins verts et des quartiers de granny smith. Mau m'avait dit d'apporter une bouteille de blanc et qu'il y aurait des fromages. Pensant bien faire, Valérie et moi avons pris un quincy, rue Laurier, et le chèvre fermier le plus cher chez Hamel.

— C'est pas grave, pardonne monsieur Gilbert. De quoi parlait-on ?

Monsieur Gilbert me parlait d'une gravure de Bellefleur qu'il avait dégotée pour le quart du prix. Je préférerais rattraper le temps perdu avec mon vieil ami Maurice que je retrouve après presque vingt ans, mais en ce moment il entretient Valérie du dernier parfum de Gaultier qui l'a presque convaincu « de ne plus être fidèle » à Versace. Affable, Valérie manifeste des signes d'intérêt. Moi, je révise mes connaissances pour mettre des images sur les références de monsieur Gilbert ; c'est comme un examen d'*Histoire de la gravure québécoise* où je dois sortir un nom, un titre, une date à chaque diapo. Clac. Bellefleur. Clac. Brandtner. Clac. Riopelle après 1970.

Après des années de silence, j'avais retrouvé Maurice l'automne dernier, par une coïncidence fantastique, dans un musée américain qui présentait une grosse collection privée. Nous nous étions littéralement rentrés l'un dans l'autre, dos à dos, moi reculant pour apprécier un Rothko envoûtant et lui pour dissiper les craquelures d'un Mondrian. Ce fut un moment d'étonnement mémorable. Après un biscotti, des allongés déca et maintes réminiscences lancées pêle-mêle, nous avons échangé nos coordonnées montréalaises. Il fallait absolument que je rencontre Gilbert. Quand je lui ai parlé de Valérie, Mau a levé un sourcil l'air de dire : « Tiens tiens… » Ç'a été un après-midi agréable. Quelques semaines plus tard, il s'est souvenu de moi pour son souper demi-deuil, une idée qui l'excite : le noir comme le caviar et les olives marocaines est servi dans une porcelaine blanche ; la vichyssoise aux poires et les suprêmes de poulet Alfredo gisent dans des assiettes noires et brillantes. Le repoussoir est ravissant, mais très rapidement on mange du bout de la cuiller, dans la terreur constante de faire une tache.

Valérie et moi avons trouvé sans peine la résidence de monsieur Gilbert et Mau. C'est effectivement, comme il me l'avait décrit au téléphone, une « collision frontale Queen Ann-Bauhaus ». La bâtisse trône au sommet d'une série dc gradins où poussent deux ou trois tilleuls et quelques marronniers d'une taille séculaire. C'est une ancienne maison de quatorze pièces, ceinte de festons et de galeries en bois tourné, arborant une tourelle dans le coin droit. Bizarrement, on a ajouté dans les années vingt, tout à l'arrière, deux spacieuses annexes de stuc blanc aux fenêtres rares qui font l'effet de grands cubes dénivelés. Des lilas tortueux et des platebandes de fleurs hautes sont judicieusement placés pour brouiller le choc des styles. Les escaliers de dalles blanches qui débouchent sur la rue sont interminables, pénibles. Nous les avons grimpés en ahanant. Mau, tout sourire, nous attendait déjà à la porte de côté. Encore essoufflé par l'escalade, je lui ai présenté Valérie tout en sueur. Il s'est montré enchanté.

La salle à manger où l'on nous a assis se trouve dans les annexes stuquées. Nous marchons sur des ardoises italiennes, entourés de toiles qui couvrent complètement les murs, de la plinthe jusqu'au plafond.

Du coin de l'œil, je vois Mau qui s'anime en parlant à Valérie et je reconnais ses gestes, me rappelle son goût pour les vêtements noirs. Derrière lui, il y a un Lemieux panoramique d'une tristesse sans issue : un garçon impassible se détache d'un lointain de battures glacées, il est tout seul dans la poudrerie à ras de sol de l'île aux Coudres.

— Mau, l'as-tu mis aux vidanges au moins ? reprend monsieur Gilbert.

Il paraît que des miasmes de chèvre persistent. Valérie me jette un regard plein de reproche. Je trouve monsieur Gilbert bien exigeant avec Mau.

— Vous ne trouvez pas, relance monsieur Gilbert à l'ensemble de la tablée, que ça sent… malpropre ?

Il semble que, d'un thème à l'autre, nous parlions maintenant du mot *malpropre* et monsieur Gilbert, du regard, semble lancer un tour de table. *Malpropre ?* Valérie ne voit pas d'exemples pour l'instant. J'ose les mots *terroir*, *rustique* et *fermier* pour réorienter la conversation. Je finis par dire que le mot *malpropre* n'est peut-être pas exact… si nous parlons toujours du chèvre… Mon vieil ami Mau a une idée claire sur le mot *malpropre*. Pour lui, c'est un groupe de femmes dans une piscine au YMCA : imaginer que l'une d'elles puisse avoir ses règles et qu'il puisse tremper dans la même eau… Il finit sa phrase par une moue d'écœurement. Quand son regard croise celui de Valérie, le malaise est à couper au couteau.

Nous parlons tout de suite de gymnase, du mal qu'on se donne afin de garder son poids à la fin de la trentaine. Valérie dit que je suis parfait, que c'est pire pour les femmes. Du haut de ses soixante-dix ans, monsieur Gilbert trouve qu'on aborde bien tôt ces inquiétudes-là. Et revenant au sujet des gymnases, Mau décrit son habitude de passer ses orteils à l'alcool neutre quand il se change au vestiaire. Il fait ça avec des cotons-tiges et une bouteille d'alcool qu'il traîne dans son sac. Il ne comprend pas qu'il soit le seul à le faire.

Personne ne touche aux fromages. On mâchonne une biscotte. On titille un raisin. Mau dit qu'il n'a plus faim. Je donnerais tout pour desserrer ma ceinture d'un cran sans que ça paraisse.

Mau a changé. Presque vingt années ont passé depuis notre « jeune temps ». Je me rappelle nos cuites à la bière tablette où on finissait avachis sur mon lit, roupillant comme des marmottes. Et ses projets de vidéo d'art : il voulait filmer des plafonds blanc cassé avec, hors-champ, des bavardages de cocktail... Quelque chose de durassien, en moins poseur. Une fois, après un joint bien tassé, on avait mis des tranches de génoise aux marrons dans le grille-pain pour faire des *pop-tarts*...

Monsieur Gilbert me tire de mes souvenirs en s'emballant pour le théâtre Axone. Mau et lui ont vu leur dernière production hier soir. Une pièce de Jarry. « Quelle fête pour l'intellect ! » s'exclame monsieur Gilbert. Et ce qu'ils ont fait de Vitrac... Et on dit qu'ils projettent de faire une chose rare de Marcel Achard...

— Du théâtre comme ça, conclut-il, on en manque dans notre pays.

— En tout cas, ça nous sort des cuisines ! remarque Mau avec une infime note de mépris.

Il y a un silence de cliquetis des couverts où Valérie me regarde, l'air de demander : « Marcel Achard ? » Je ne veux pas trop la regarder, sinon je vais pouffer de rire.

Maurice n'a presque plus de rapport avec celui que j'ai connu. À dix-sept ans, j'hésitais des heures devant deux couleurs de vêtement pour finalement porter des chemises qui ne m'allaient pas ; lui portait un polo noir. Point. Je m'inclinais devant son assurance, son exigence de perfection et son goût pour les objets anthracite.

À quelques reprises, nous nous étions retrouvés dans ma chambre pour la préparation d'un exposé sur *Les Ménines* de Vélasquez dans lequel il fallait constamment couper tant nous trouvions à dire. Ma chambre était exiguë : toute la place était occupée par un lit simple dont j'avais dévissé les pattes et un immense piano droit acajou. Entre les deux, j'avais une sorte de secrétaire tassé là de peine et de misère. Rien sur les murs, à part des trous de punaises et des traces d'adhésif.

Après nos longs dialogues sur *Les Ménines*, nous nous amusions à toutes sortes de choses. Par exemple, nous fermions la porte et j'allais sous le clavier du piano ouvrir le caisson du bas où je cachais des bières, des vieux magazines de nus et quelques autres secrets. Nous calions de grandes goulées puis Mau me minutait pendant que je jouais *prestissimo* des sonatines de Clementi. Une canette dans une main, sa montre bracelet dans l'autre, il donnait le signal et je dévalais les portées avec une célérité dont je ne serais plus capable. Pour mon répit, je m'affalais à côté de lui et nous exhalions nos bières par tous nos pores, collés l'un contre l'autre. Une fois, enhardi, je lui ai plaqué un baiser sur la joue et il a souri. Ensuite, nous nous sommes embrassés plus longuement, en riant un peu. Nos langues se sont frôlées. Puis nous nous sommes arrêtés et nous avons fixé le plafond, le plus sérieusement du monde, sans parler. J'étais bien en regardant le plafond. Mau avait toujours l'idée de ce film d'art qui ne serait fait que de travellings sur des plafonds sans couleur, et je le trouvais génial. Je le lui disais.

Dans un regain d'énergie soudain, il m'a enjoint de reprendre le clavier. Il fallait absolument, prétendait-il, que je batte ce soir même mon record d'une minute trois secondes. J'avais trop bu et je ne pouvais battre aucun record sans escamoter la moitié des notes et faire, pour citer ma vieille prof de piano, « de la bouillie pour les chats ».

— Ah non, pas question de rater la plus petite double-noire ! a-t-il dit, intransigeant.

Il ne connaissait rien au piano ; il restait assis à distance avec le chronomètre et il exigeait que mon jeu soit impeccable.

J'ai ouvert une autre canette de bière, et quelques minutes plus tard nous étions, de nouveau, étendus côte à côte. C'est à ce moment que j'ai eu, peut-être, la pire idée de ma vie. C'est après cette soirée-là que Mau est devenu distant puis, en peu de temps, étranger. Me retournant tout contre lui, j'ai mis ma main sur son cœur et je lui ai dit : « Maurice, dis-moi un de tes secrets et je vais te dire un des miens. Quelque chose que tu n'as jamais dit à personne. » Volontaire, Maurice a réfléchi, puis il s'est mis à ricaner.

— Tu sais, la Sainte Vierge en granit dans le stationnement du cégep ? a-t-il commencé.

— Celle sur qui on a versé de la peinture rose ?

— C'est de la peinture à l'huile. C'est Robert Jean et moi qui avons fait le coup, en pleine nuit, avec une échelle qu'on a prise dans le garage de son père. Il ne faut pas le dire.

— Promis.

J'étais déçu. Je le savais déjà. Tout le monde le savait. Ce n'était pas un vrai secret.

— Ton tour, m'a rappelé Maurice.

Après avoir hésité, j'ai ouvert la planche du bas de mon piano, où je cachais des choses. J'en ai sorti une pile de 45 tours, tous dans leur emballage d'origine. Un à un, je lui ai passé *Chez nous, Mon enfant je te pardonne, Oh belle-maman, La Bolduc 68*... Les disques arboraient tous l'étiquette blanc et gris de la compagnie *Vedettes* avec son grand V rouge.

— Je ne comprends pas, a dit Mau.

— J'aime Marthe Fleurant, ai-je expliqué. Tu la connais, c'est elle qui a relancé le corpus de la Bolduc à la fin des années soixante bien avant la vague des folkloristes ; ou bien tu te souviens de son *parlando* exaspéré dans *Oh belle-maman* ; on peut être agacé par la choriste qui la redouble en tierce diminuée, mais le naturel reste franchement provocateur, non ? joualisante avant même la mode ; sinon tu te souviens de sa relecture de *Mon enfant je te pardonne* – sur un texte du soldat Lebrun, je crois ; ou bien l'énumération délirante de *Mes quétaineries*...

Mau s'est redressé et a dit : « Non. »

Debout au milieu de ma chambre, je me démenais pour chercher dans les succès de Marthe Fleurant un titre qu'il aurait pu replacer.

Marthe Fleurant, lui ai-je finalement expliqué, avait été une mal-aimée du tournant des années soixante-dix. Mais le jour viendrait où on verrait le rôle de bouc émissaire que le système lui a fait jouer dans l'établissement d'une petite bourgeoisie de baby-boomers en lutte contre des origines encore trop proches à son goût du country des campagnes. Sans parler de son intégration des parlers populaires. Il faut voir que Marthe Fleurant a pris sur ses épaules les sources de la honte, oui, c'est exactement ça, *les sources de la honte* de notre culture. C'est trop commode de mépriser cette artiste parce qu'elle ne cache pas ses origines ! C'est trop commode d'en faire un golem, une poupée vaudou. Je me suis toujours opposé à l'exclusion dont elle a été victime. Je ne lapiderai pas Marthe Fleurant, Mau, je vais l'aimer contre l'avis de ceux qui ne l'aiment pas, ai-je conclu essoufflé. Je l'aime... Il faut quelqu'un pour défendre les mal-aimés, ai-je ajouté tout bas.

J'avais peut-être trop bu.

— Il faut pas dire *chèvre* émissaire ? a demandé Mau avec un petit sourire.

— Elle avait les cheveux platine... elle était toujours de bonne humeur... vraiment tu ne te souviens pas ?

Il a regardé l'heure et il a dit : « Mon Dieu, le temps file. » Il a lissé son polo noir et enfilé son pardessus pendant que je tentais de me ressouvenir des propos de Proust sur les vertus cathartiques de la chansonnette.

Près de la porte, après une seconde d'embarras, il m'a serré la main.

Les jours suivants, à la cafétéria du cégep, dans les corridors, sur le gazon devant la bibliothèque, il était souriant mais il n'avait jamais le temps de me parler.

Sur les ardoises italiennes, avec Valérie, monsieur Gilbert et Mau apparemment planté dans le décor du Lemieux plâtreux, je suis frappé par la distance que tout cela a pris. C'est comme un autre siècle. Je ne serais pas surpris que Mau ne se souvienne de rien.

Le souper est correctement réglé. Les plats sont noirs, blancs, conformes au projet de Mau. Il va et vient comme un valet prévenant. Je parle peu ; j'écoute monsieur Gilbert. Je passe discrètement un pouce sous ma ceinture tendue. De son côté, Valérie est patiente. Cette nuit, une fois couchés, je vais passer mon temps à m'excuser de lui avoir imposé cette soirée. Elle va bâiller : « Mais non, mais non… »

Nous passons au salon, situé dans la zone Queen Ann du complexe, pour les cafés noirs et la grappa. J'insiste pour boire un Perrier bien citronné. Les pièces de la partie ancienne, avec leurs moulures, leurs cimaises d'acajou et leurs appliques en feuilles d'acanthe, ont été méticuleusement couvertes d'un latex d'une blancheur d'igloo. Quand j'accroche un fil de mon chandail dans les broches d'un mobile de Granche placé un peu bas, il y a un petit moment d'humour. Mau raconte que Gilbert et lui vont fêter le quatorzième anniversaire de leur rencontre bientôt. Quatorze années sans une chicane, sauf, semble-t-il, une fois au sujet d'une toile de Marcelle Ferron de 1965 : un grand carré avec un « problème » de masse noire.

Il semble que la balle soit dans notre camp, que ce soit notre tour à Valérie et à moi de raconter une anecdote autour de notre rencontre, mais d'un accord tacite nous n'en faisons rien. Valérie réprime un bâillement. Il est presque onze heures. Nous sirotons nos verres, parlons à bâtons rompus des œuvres qui meublent l'immense salon de nos hôtes. Il y a des bronzes, des photographies floues et colossales, des objets insolites qui valent une année de salaire.

— C'est vrai, tu joues ! se souvient soudainement Mau.

Je me retourne vers lui : il s'est dirigé vers le piano à queue et pique une aiguë. L'objet est sobre et magnifique, les touches noires reluisent. Monsieur Gilbert en a hérité d'une tante célibataire. Il semble que la chose ait toujours été là. « Personne ne s'en approche à part la femme de ménage », ajoute-t-il en riant. Je décline l'invitation de Mau : je n'ai pas touché d'ivoire depuis quinze ans. Avant qu'on se mette à insister, je me lève en disant : « Bon, il est temps de rentrer. On travaille demain. »

Valérie cherche déjà le vestiaire du regard.

— Je vous appelle un taxi, dit Mau. Il va falloir aller le prendre dans la rue parce qu'ils ne comprennent jamais qu'ils peuvent monter jusqu'ici. C'est toujours compliqué.

— Moi, avec votre permission, je vais prendre congé tout de suite, dit monsieur Gilbert.

Après une poignée de main et une phrase de politesse, il monte à l'étage.

Nous attendons, Valérie, Mau et moi, dans l'entrée de côté qui fut jadis, de toute évidence, l'entrée des domestiques. Mau nous l'explique, nous dévoile un monte-plats condamné. Puis nous nous taisons. Nous sourions. Valérie replace mon col de chemise. Je lui caresse furtivement les doigts. L'attente dure un peu.

Dès que le taxi klaxonne en bas de la côte, nous échangeons des bises sur la joue et c'est là, sous le spot extérieur de l'entrée des domestiques, que Mau retient mon bras tandis que Valérie accélère vers la rue tout en bas en faisant de grands signes au taxi pour qu'il attende. Il me glisse à l'oreille qu'il a été heureux de me revoir.

— Il faut absolument qu'on refasse ça, me dit-il tout bas en me prenant dans ses bras.

Son chuchotement m'excite. Je suis décontenancé par cette réaction soudaine. Je sens son haleine chaude contre mon oreille. J'hésite puis je réponds oui. Nous demeurons dans les bras l'un de l'autre. Nous sommes enfin seuls pour la première fois de la soirée. J'ai de nouveau dix-sept ans. Avec mon ami que j'aime. Je pose mes lèvres sur le coin de sa bouche. Dès qu'il sent mon visage contre le sien, il recule un peu et il me regarde gravement, presque scandalisé.

Sa main me repousse fermement.

— Alors, on se rappelle, finis-je par dire, tout confus.

— C'est ça, répond-il, un peu froid.

— Bye, dis-je avant de partir à courir.

Je dévale les dalles blanches en fixant les lampadaires de la rue.

— C'est pas trop tôt, laisse filer Valérie quand je referme la portière.

— Je suis désolé, dis-je le cœur battant.

La voiture baigne dans des fragrances de vanille et de fraise chimique. Tout appelle ma curiosité. Le chauffeur s'appelle Désiré Merveille, il y a une sorte de Sacré-Cœur qui oscille sous le rétroviseur et la musique antillaise est forte. Je suis dans un état d'agitation, je regarde tout, je respire à fond, je boirais encore, j'ai envie de fêter tout à coup. Valérie demande au chauffeur de baisser le son.

— Moi, ça ne me dérange pas, dis-je aussitôt.

— J'ai mal à tête, criss ! me répond-elle soudainement exaspérée. J'ai envie de silence, c'est-tu possible ?

Je marmonne : « Encore un hostie de mal de tête... » et le chauffeur ferme la radio.

Nous restons chacun de notre côté, Valérie regardant par la fenêtre. Moi fermant les yeux.

— En plus ça pue, ajoute-t-elle tout bas.

J'entends le chauffeur ricaner.

RELATION

Eux, comme un vil sursaut d'hydre [...]

MALLARMÉ

Paris, 1er mai.

En rentrant dans l'église Saint-Sulpice, j'ai marché droit vers une chapelle obscure. Là, la main sur la pierre froide, j'ai respiré calmement jusqu'à ce que ma tristesse se dissipe et je me suis recueilli une seconde avec une bonne pensée pour la mère slave qui quêtait sur le parvis, à qui je venais de refuser l'aumône en pensant que s'il faut commencer ça... Je n'arrivais pas à me sortir de la tête la peau blême de son enfant, ses yeux cernés. Ensuite, j'ai flâné vers la nef où se trouvait une magnifique Vierge éclairée, je ne sais comment, à contre-jour. Ce que j'aime le plus dans les églises des vieux pays, c'est toucher. Quand personne ne regarde, je passe les doigts dans les cannelures d'un pilastre et je m'enthousiasme à l'idée de toucher ce qu'un pèlerin, un gueux, une gente dame a, lui aussi, elle aussi, touché au XVe siècle, voire avant, au Moyen Âge. C'est comme si je leur tendais la main.

J'ai passé chaque chapelle en revue pour débusquer les toiles et me laisser aller à telle scène biblique, telle madone, tel Père drapé, tel autre saint noirci par des siècles de suie. Je n'avais pas fait attention aux petites

Japonaises qui butinaient guide en main, appareil photo au cou, jusqu'à ce que leur flash se déclenche au grand scandale d'un vieillard vêtu d'une cape noire qui s'est mis à les engueuler. Les fillettes paniquées ont couru vers la sortie. Et je suis resté seul avec le moine encapuchonné qui levait des ailes de corbeau dans les airs. Puis, à grands pas, il a foncé vers moi.

— Ce ne sont pas nos gens, ce ne sont pas nos gens, a-t-il dit en détachant les syllabes.

— Ce n'est pas très grave, ai-je osé dire pour l'apaiser.

— Plaît-il ? a-t-il lancé à mon intention, en se découvrant.

— Monsieur Allard ! Vous êtes à Paris !

Il a reculé d'un pas pour me jauger, un peu méfiant.

— Ah, c'est vous…

J'étais stupéfait. Je lui ai serré la main et nous avons jasé près du bénitier. Son accent s'était fortement parisianisé, une osmose que je pouvais comprendre. Mais j'avais l'impression qu'il prenait des airs, gardait le menton haut, posait de profil comme aurait fait, j'imagine, un acteur de vaudeville dans un autre siècle. Ces mimiques me mettaient mal à l'aise et j'ai d'abord fait comme si elles n'existaient pas. Monsieur Allard avait été mon directeur de thèse. Je l'aimais bien et je crois que c'était réciproque. La première fois que je l'ai vu entrer en classe, j'ai aimé son panache, son assurance et la certitude de son goût. J'ai tout de suite su qu'il serait mon directeur. Quand j'étais en rédaction, je ne l'ai rencontré que trois fois et chaque fois nous avons parlé d'autre chose ou de ses projets à lui. Il répétait : « Je vous fais confiance, vous n'avez pas besoin de moi. » Je ne l'avais pas vu depuis vingt ans, lors du dépôt de mon mémoire. Ce jour-là, nous étions allés prendre un verre rue Saint-Denis pour porter un toast à l'événement. C'est là que j'ai appris qu'il venait de Saint-Jacques. Après deux martinis, il disait *Saint-Hâcques* d'abord avec ironie, ensuite avec plus de dureté. Il m'a dit que son père cultivait des patates, avec un bœuf et une charrue, encore aujourd'hui. C'était un fou qui ne s'était jamais lavé. Et il m'a regardé. Il attendait ma réaction. Il m'avait fait un grand aveu et je sentais qu'il me faisait passer un test comme pour voir si notre lien pouvait continuer au-delà du cadre universitaire. Devais-je dire qu'il n'y a pas de sot métier ? Devais-je rire en répétant, incrédule : « Des patates ? » J'en étais aussi à mon deuxième martini. Je lui ai dit qu'un jour, au métro Longueuil, je suis arrivé face à face avec mon père à moi. Un pur hasard. J'en étais bouche bée. J'étais en première année de bac et j'avais traversé des milliers de fois la sortie du métro Longueuil, à toutes sortes d'heures, et ce n'était jamais arrivé. Devant lui, j'ai laissé échapper : « Ah, bonjour ! » C'était le soir, il commençait à faire noir. Une saison de bottes mouillées, de calcium. Une heure de pointe, de ruée dans le froid sibérien. Il ne m'a pas reconnu. J'ai dit : « C'est moi, Mike. » Voyant qu'il restait perplexe, j'ai dû rajouter : « Ton gars. » Je crois qu'il a murmuré : « Ah… » mais je l'invente peut-être. Je sais qu'à partir de là, j'ai compté les secondes avant de disparaître de sa vue.

Il a dit : « Tu as les cheveux longs. » C'était un reproche. Mon père, qui a une érudition biblique, a déjà soutenu, impénétrable, que c'est écrit dans l'Ancien Testament qu'un homme doit avoir les cheveux courts. C'est une loi. Quant aux images du hippie crucifié qu'on arbore partout, eh bien, on ne peut attendre autre chose d'une Église décadente. Il disait : « Dieu est Dieu, mais (il est d'une génération de Montréalais qui s'incline toujours devant ce qui lui vient en anglais) *religion is man-made.* » J'ai souri, façon de dire, pour les cheveux : « Ben… c'est comme ça. »

Il y a eu un silence grave, plein d'embarras. J'ai fini par dire : « J'ai grandi… c'est peut-être pour ça que tu ne m'as pas reconnu. » Le flux des travailleurs nous tassait contre la vitrine d'un Laura Secord.

Je lui ai dit que tout allait bien. Il ne m'avait rien demandé. J'ai poursuivi. « Ça va bien à l'école, je suis en première année d'université… mon frère aussi va bien, nous avons un chien, il s'appelle Sam… c'est m'man qui a trouvé le nom… m'man va bien… »

Ses yeux bruns étaient sans expression, son corps était immobile, ses mains ramenées devant lui, dormantes, comme recueillies devant une fosse qui attend une tombe. Devant mon verre vide, j'ai dit à Hugues Allard que je comprenais maintenant ce qu'il y avait dans les yeux de mon père quand je l'ai retrouvé, au métro Longueuil, contre la vitrine du Laura Secord : il n'était pas intéressé. Je l'ennuyais. Je le retenais et il allait manquer son autobus à cause de moi. Quand, pour le remercier de sa patience, j'ai fini par soupirer : « Bon, je vais y aller… » il m'a lancé : « Dieu te bénisse. » Sans penser, j'ai tendu la main. Il l'a serrée avec politesse et il est allé prendre son autobus. Je voulais disparaître. Physiquement. Les travailleurs me bousculaient et je ne résistais pas. J'étais mou. Je suppose que cela revenait à dire que j'étais sans haine.

À mon dernier mot, Hugues Allard a enfilé son manteau en déclarant : « Vous êtes lamentable… » et plus bas : « Sans parler de moi… » Je l'ai revu une fois pour des formalités et quand, un an plus tard, j'ai eu besoin de sa signature, j'ai appris qu'il était retraité.

Il levait les bras pompeusement en me parlant des trésors de l'église et de la Vierge dans la chapelle axiale qui semblait reposer sur un nuage de calcaire, le statuaire avait réussi à *rendre* le vaporeux. J'écoutais mon ancien professeur qui parlait en fixant un point imaginaire au-dessus de moi. Puis j'ai remarqué qu'il avait une saleté dans ses cheveux ébouriffés. Comme du jaune d'œuf. J'ai pensé que les vieux étaient négligents, que c'était normal. Il me parlait des fresques de Delacroix, il ne fallait pas les manquer. Puis j'ai remarqué que ses deux souliers étaient troués au gros orteil, il en avait scié le bout comme faisaient les pauvres à la campagne à leurs enfants qui grandissaient trop vite. Et il sentait mauvais, une odeur de pourri âcre montait de sa ceinture, comme s'il s'était « échappé ». Tous ces détails m'ont rapidement tourmenté. Je ne l'écoutais plus, j'étais trop ému, trop inquiet. J'aurais voulu le prendre dans mes bras, mais ça ne se faisait pas. Je ne sais pas à quel moment son accent français a commencé à me paraître un signe de folie. C'était une voix sans corps, tout entière dans la tête.

J'étais désemparé. Je ne pouvais pas alerter l'ambassade pour faire rapatrier un ressortissant sous prétexte qu'il avait un accent français et besoin d'une couche. Sa salutation abrupte, en plein milieu d'un raisonnement, m'a surpris.

— Bonne continuation, mon cher... (Il a hésité avant de poursuivre. Il cherchait mon nom.) Et ne ratez pas les fresques !

Il a fait une courbette avant de sortir la tête haute, en jouant de sa cape.

— Monsieur Allard, ai-je crié, attendez !

J'ai vu sa forme noire fendre une foule de pigeons puis se mêler aux passants. J'avais l'impression de l'abandonner. Je me suis senti veule. D'une pusillanimité sans fond.

Je suis retourné dans l'église. J'ai fait le tour, l'air absent. Je n'appréciais rien. Je me demandais ce que j'aurais pu faire *concrètement* pour monsieur Allard.

J'ai passé mes doigts sur les ventouses d'un poulpe qu'on a sculpté sur le pied du bénitier et au fil de rêveries, le Moyen Âge de nouveau s'est imposé, le Moyen Âge ou quelque autre temps béni où la parole était magique. Il suffisait de raconter le miracle d'un saint pour voir le miracle se répéter. Les grippes se guérissaient avec des récits de guérison. L'amour s'appelait avec un poème. J'aurais été roi et maître dans un monde comme celui-là.

Saint-Pétersbourg, 4 mai.

Je suis entré à Notre-Dame-de-Kazan au moment même où les chants invitatoires finissaient. Le pope a surgi du côté gauche avec énergie en demandant aux fidèles d'approcher. Sa voix était magnifique. On s'est massé contre la clôture dans un seul et même déferlement. Après un laïus rendu un peu imprécis par l'effervescence de marché qui régnait (on vend du thé, des icônes, des pains, des foulards dans la nef même) et les chuchotements de deux gardes en civil avec un écouteur chair dans l'oreille droite et une arme à feu sous le veston, scrutant tout ce qui ressemblait à un Tchétchène, le pope a ouvert les portes dorées de l'iconostase et un rideau de velours rouge s'est écarté. Les Russes priaient après un siècle d'interdiction et je baignais dans l'onde d'une ferveur qui a fini par m'exciter. Je n'avais pas sitôt fait Notre-Dame-de-Kazan que j'ai fouillé dans mon guide pour faire une liste : la laure de Saint-Alexandre-Nevski était en tête.

C'est dans cette église-là que j'ai tenté l'expérience. Pour faire comme eux, j'ai allumé un petit cierge à cinquante kopecks que j'ai planté sur la herse couverte de dégoulinures blanches et je me suis recueilli sous le regard d'une *Vierge à l'Enfant.* Beaucoup de cierges avaient ployé sous la chaleur des flammes voisines, ce qui rendait l'étalage *pleureur*. Des Pétersbourgeoises forçaient le zèle et embrassaient les icônes vitrées ; il n'était pas rare de voir un saint Georges terrasser un dragon couvert de rouge à lèvres.

La ferveur est un sentiment que je comprends. Elle consiste à se mettre dans un état limite qui rend la prière tellement urgente que l'exaucement apparaît naturel. Un jour, j'ai eu la peau orange. J'approchais les trente ans et je marinais dans le bétacarotène qu'une Chinoise d'Outremont me vendait pour sauver mon foie. Je l'avais consultée en désespoir de cause parce qu'un médecin exceptionnellement incompétent m'avait dit, navré : « Un mois, peut-être deux… » en regardant mes analyses. C'était l'automne, les feuilles commençaient à roussir et d'après lui, je n'étais pas censé survivre jusqu'aux Fêtes. J'allais mourir. Au lieu de m'effondrer en larmes et d'écrire des lettres d'adieu, je m'étais jeté sur les suppléments alimentaires. La marchande chinoise, aujourd'hui millionnaire, croyait que le foie pouvait renaître de ses cendres à condition qu'on y mette le temps et quelque 6000 unités de vitamine A par jour.

Quand il a approché de ses soixante-cinq ans, mon père a commencé à mollir et il s'est montré intéressé à renouer avec moi. Je le voyais l'après-midi, selon son désir. Il me faisait part de sa lecture personnelle de la Genèse ou m'exposait ses positions radicales contre ce qu'il appelait le « lobbying marial du vingtième siècle ». Je le rencontrais pour un thé noir dans un « restaurant de banquettes » du centre-ville : il semblait que ce fût une règle, les restaurants ressemblaient toujours à ceux des années cinquante. C'étaient des voyages dans le temps. Je me suis assis devant lui. J'ai dit bonjour. Il a jeté un coup d'œil furtif sur mes mains orange.

Dès que la serveuse a eu déposé mon thé noir, je me suis senti envahi de toute la tristesse du monde. D'un coup, j'ai perdu contenance et le verdict funeste du médecin m'est revenu. J'étais défait. Comme si j'avais eu huit ans et faisais la lippe à cause d'une injustice. En face de mon père, j'ai étalé ma main sur la table.

— Regarde, lui ai-je dit. C'est les pilules que je prends. Des vitamines. Ça rend la peau jaune orange.

— Dans mon temps, on n'avait pas besoin de ça, a-t-il commencé.

Je l'ai interrompu. Je lui ai dit d'une traite qu'un médecin me donnait deux mois à vivre et j'ai gardé ma main étalée comme si c'était une preuve.

— Ah, que veux-tu, a-t-il dit, il faut tous passer par là.

C'est tout.

Il y a eu encore un de ces malaises où j'ai cherché quoi dire. Évidemment, mon père avait raison et je me demandais pourquoi j'avais amené le sujet de ma mort. Nous avons recommencé à parler. D'autre chose. Je me sentais un peu perdu. J'étais sans haine. La haine a une franchise qui rougeoie comme le fer, c'est un poing sur la mâchoire. Elle a des signes clairs. L'amour est un désarroi.

J'ai aimé l'iconostase de la laure de Nevski, c'est un mur doré comme un emballage de cadeau. L'église était bondée de fidèles mais je me sentais paisiblement seul, étranger aux prières que les moines psalmodiaient. Sous une image du *Pantocrator* dans la coupole, mon cœur s'est mis à vibrer. J'ai prié pour que la paix revienne dans mon esprit et, presque tout de suite, je l'ai ressentie dans mon corps. J'ai demandé au Très-Haut qu'il s'occupe de Hugues Allard et, sachant bien que l'Éternel n'est pas en mesure de juger de la qualité des demandes, j'ai souhaité qu'on lui trouve de nouveaux souliers. Je voyais

Hugues Allard endimanché d'un pantalon tout propre en train de lacer des souliers neufs et je riais dans mon cœur. Je me sentais complètement ouvert.

Je suis sorti de l'église, le cœur chantant. Dostoïevski dormait dans un cimetière à côté. On était venu déposer des œillets sur sa dalle. Son tombeau était ceint d'une clôture basse dont le pommeau d'angle était patiné comme l'orteil de saint Pierre, comme s'il avait servi de support à un siècle de vœux. J'ai mis ma main dessus, moi aussi.

En rentrant à l'hôtel, sur la perspective Nevski, il s'est passé quelque chose. L'envers de la grâce. On ne peut pas faire de lumière sans créer des ombres. Tout mon être a basculé dans une rage qui a gâché le reste de mon séjour en Russie.

C'est arrivé ainsi. Dans la marée de piétons, j'ai senti qu'on tiraillait mon sac à dos, on tentait de l'ouvrir. Je me suis retourné sec pour voir, horrifié, un grand Russe blond, émacié, d'une vingtaine d'années saisir une petite Gitane par les cheveux : il la tenait à bout de bras comme pour ne pas se salir et la couvrait de grands coups de pied. Personne n'a entendu quand j'ai dit : « Ce n'est pas grave ! Ce n'est pas grave, elle n'a rien pris ! » Le garçon l'injuriait et elle gémissait en parant les coups de ses mains. J'entendais le soulier frapper creux contre les côtes, sourd contre les cuisses. Les autres Gitanes de son groupe attendaient à l'écart qu'on finisse de la châtier. Elles fumaient des cigarettes longues et minces, vaguement ennuyées. Les passants trouvaient la scène ordinaire, c'était l'heure du midi et ils ne s'arrêtaient pas.

Une fois qu'il a eu fini de la battre, le jeune homme a continué son chemin, s'est retourné une seconde vers moi pour me dire une phrase en russe. Les gestes de ses mains signifiaient clairement que je ne devais plus m'inquiéter, que tout était sous contrôle et, je l'ai senti, qu'il n'était pas nécessaire de le remercier pour son civisme. J'ai balbutié : « *Spassiba…* »

Plus que la violence elle-même, c'est son théâtre qui s'est mis à me hanter, cette haine primitive enclavée dans l'indifférence.

Rendu au pont, en attendant le bonhomme vert, je me suis retrouvé de nouveau à côté de la même Gitane. Elle m'ignorait ! Pour elle, rien n'avait eu lieu. Elle se promenait en pieds de bas, fumait une cigarette. Ses compagnes avaient, elles aussi, la tête ailleurs. J'avais l'impression d'avoir été le seul témoin de ce qui était arrivé, le seul à garder les poings crispés depuis qu'elle s'était fait rouer de coups, le seul à ramener une rage avec lui. J'étais contaminé.

À l'hôtel, je me suis précipité sous la douche mais les ablutions n'ont pas suffi. Alors il m'est venu une idée : me recueillir et prier pour la petite Gitane, lui pardonner et espérer qu'elle trouve, elle aussi, des souliers. Je prierais pour le monde entier en commençant par elle. Mais dès que je l'ai eu visualisée, ç'a été plus fort que moi, je l'ai exécutée d'une salve de plombs. Épouvanté, je l'ai tout de suite ressuscitée d'un claquement de doigts.

J'ai tourné en rond dans la chambre avec une envie de battre le jeune Russe à coups de bâton. Rageusement. Tout était de sa faute.

Je ne suis pas fait pour la religion.

Il faudrait que le ciel quitte le ciel pour
que j'apprenne à vivre.

BENOIT JUTRAS

Sofia, 10 mai.

Je suis arrivé en Bulgarie épuisé. Chaque jour, je me suis fait violence pour me lever et faire mon programme. J'en étais venu à penser que je n'étais plus capable de voyager. Je tournais le dos aux ruines romaines, aux fresques, aux vestiges thraces, pour m'apitoyer sur le sort des chiens errants. La Bulgarie fourmille de chiens qui ont des yeux poignants, des oreilles molles, qui dorment en boule sous des bancs de parc, qui meurent en public. Il n'y a pas plus misérable qu'une carcasse d'épagneul noir qui jonche l'accotement du périphérique, un jour de pluie battante. À Sofia, on me dit qu'un groupe de défense des droits des animaux s'est opposé avec succès à la création d'une fourrière pour leur « contrôle ». Dans les campagnes, le naturel revient, ils forment des meutes, attaquent des brebis. C'est le Moyen Âge avec ses loups.

Il pleuvait à boire debout quand j'ai pris un taxi pour l'église de Bojana, une chapelle cachée dans les montagnes environnantes de Sofia. C'est un bâtiment à hauteur d'homme, au milieu d'un parc muré. Personne ne sortait ce jour-là, ce qui explique le sursaut de la dame de la guérite que j'ai tirée de son sommeil et le privilège que j'ai eu de visiter le site tout seul avec le conservateur.

— *English ?* m'a-t-il demandé, sous son parapluie.

— *Of course,* ai-je répondu, sous le mien.

À ma réponse, le vieil homme s'est illuminé. Il a enfilé sa mante noire imperméable et il a été chercher, tout heureux, une clef antique, plombée, lourde comme un marteau. Nous avons mis une minute pour nous rendre jusqu'à l'église qui n'est pas plus grosse qu'un caveau à légumes, mais qui est célèbre dans le monde entier pour ses fresques peu canoniques et antérieures à Giotto. Le conservateur, un vieil homme encore droit, est heureux de pratiquer un anglais qu'il a appris tout seul, les soirs, sous la lampe en lisant Shakespeare. Il m'a prié d'excuser à l'avance ses fautes d'autodidacte. Il jubilait en articulant des phrases comme : « *And now, may I ask you please, dear Sir, to be kind enough to notice the expression of the Holy Virgin. The compassion ! The pain ! The weariness !* » À tout moment, il éteignait son pointeur laser pour regarder sa montre : nous ne pouvions pas rester plus de dix minutes sans risquer de modifier la température de la minuscule chapelle, ce qui aurait menacé les fresques. Il parlait sans perdre une seconde, sans laisser de place pour les questions.

C'était assez particulier d'être dans une cellule de plâtre étouffante avec cet homme qui parlait en poète (seul devant l'autre). Il avait fait un choix d'images et toutes ses phrases étaient prêtes. J'ai été content pour lui, pour sa pratique d'anglais, mais je m'intéressais peu aux scènes bibliques. Je fixais ses dents déchaussées et j'avais la tête ailleurs. Mon père ne quittait jamais mes pensées. Il m'obsédait comme d'autres le sexe ou le jeu. Il était venu me visiter le jour de mes quarante ans. Il était arrivé chez moi dans une Cadillac gris charbon flambant neuve, tout équipée de gadgets : une boussole électronique en mortaise dans le rétroviseur, des commandes vocales, une rampe de « lumières de courtoisie » encastrée dans les portières. L'auto était une sorte de monstre de luxe chauffé par un vieillard au cou barré : mon père ne pouvait plus tourner la tête et avant de virer aux coins de rue ou de s'engager sur des autoroutes, il avait une petite formule précative, une invocation machinale qui commençait par « Seigneur… » Et il s'en tirait toujours. Dans les embranchements, il fonçait dans le tas avec sa grosse voiture et il s'en sortait toujours intact, en marmonnant « Merci, Seigneur », sans plus. Quand il est arrivé chez moi, le coffre arrière s'est ouvert tout seul, sans déclic, à peine un soufflement, et il m'a dit d'y prendre un sac. Le coffre sentait le plastique frais et la colle à tapis. Il avait apporté quatre rouges portugais qu'on lui avait assuré être d'un bon rapport qualité-prix.

— Pour ma fête ? ai-je demandé.

— Non non, a-t-il répondu d'un ton plat.

Il est resté pour l'heure du souper. Il avait envie de parler. Il n'a rien mangé. Il opinait sur tout et sur rien, ne connaissait que des maximes qui commençaient par : « Dans la vie, il y a deux sortes de monde… » J'avais devant moi un raciste blindé contre le doute qui me renvoyait au *Lévitique* ou à *Matthieu* 12. Je me disais qu'il y avait sûrement pire. Je ne l'écoutais pas vraiment. Je lui avais fait du thé noir et j'attendais qu'il parte.

Avant de partir, le temps a été aux narrations. Il m'a raconté comment, quand j'avais huit ans, une religieuse de Sainte-Anne (les sœurs de Sainte-Anne dirigeaient un collège de garçons à Rigaud) lui avait fait part de son inquiétude : pendant les récréations, alors que tous les garçons s'impliquaient au ballon chasseur, je longeais la clôture en parlant tout seul, les doigts dans la bouche. De l'avis de la religieuse, il était pressant que le père du garçon se manifeste auprès de lui. Pas grand-chose à faire ; parler aurait suffi. Mon père m'a raconté qu'il lui avait répondu : « Ma sœur, pourquoi pensez-vous que je vous paye ? » Et la sœur se serait inclinée en disant : « Eh bien, j'ai tout compris, monsieur Delisle. » Ce que, selon mon père, la sœur avait compris, c'est que lui et moi étions pareils : deux types solitaires qui n'avaient besoin de personne. Il était fier de nous deux. Son œil brillait.

Quand j'ai été seul, adossé contre le mur, je me suis laissé glisser par terre. Je suis resté là, comme un vêtement sale tassé du pied, pendant des heures, inerte, le souffle à zéro. Je ne pensais à rien.

— *And now, Sir, I must invite you to leave the premises at once*, m'a dit le conservateur en tapotant sa montre.

Mes dix minutes étaient terminées. Ma chaleur corporelle devenait menaçante pour le patrimoine bulgare. Pendant que le vieil homme verrouillait la chapelle, je l'ai complimenté sur la qualité de son anglais. Tout de suite, il s'est plaint du prix des cours de langue en Bulgarie. Un seul niveau d'anglais coûtait 900 leva. Pouvais-je apprécier ce que cette somme représentait au regard d'un salaire moyen en Bulgarie ? Il n'avait pas eu d'autre choix que d'apprendre la langue par lui-même. C'est Shakespeare qu'il devait remercier, et surtout pas les communistes ! Il avait haussé le ton.

Je croyais avoir compris que c'était l'heure du pourboire. Quand j'ai glissé ma main dans ma poche pour en retirer mon porte-monnaie, il a levé la main et regardé ailleurs en disant que transmettre sa passion pour Bojana était son œuvre, il ne le faisait pas pour l'argent. J'ai rangé mes leva. Je me suis senti déplacé.

Il est retourné à sa loge, un peu vexé. Avant d'entrer, il a porté la main à ses côtes pour reprendre son souffle. Le temps froid et pluvieux dans les montagnes était dur pour un homme de son âge. J'ai hélé un taxi.

En rentrant à Sofia, sous une pluie qui n'arrête pas, je remarque encore les chiens sans maître, endurant leur fourrure gorgée d'eau froide, trop usés par l'errance pour s'ébrouer. Sur le boulevard, une octogénaire voûtée quête sous un parapluie en tendant un gobelet de styromousse, une femme usée, sans ressources, brisée par le travail, flouée par l'ancien régime politique.

Le chauffeur de taxi conduit comme un voleur en fuite. Ses dépassements me semblent suicidaires et les nids de poule secouent le véhicule si violemment qu'il faut, à chaque fois, que je m'agrippe à l'accoudoir. Je préfère ne rien voir de la route devant ou des autos qu'on évite de justesse. C'est maintenant que j'aimerais connaître la « prière du chauffeur » que mon père se répète pour arriver à bon port, sain et sauf. Et puis, en voyant un vieillard quêter sous la pluie, ça se révèle. C'est de la lumière pure. Mon Dieu, c'est l'épiphanie : je ne dois pas parler à mon père, je dois le *prier*. Ce sont des prières que je dois lui adresser et non des phrases, et à cause de ça, je ne pourrai m'adresser à lui que quand il sera mort. Je suis sûr qu'il me recevra enfin, une fois de l'autre côté. C'est si vrai qu'en le disant, j'éprouve une sorte de *hâte* qu'il meure, une hâte qui ressemble à une envie d'ordre ou, mieux, oui, un grand désir de paix. Une vision de pureté. Celle du garçon de huit ans en pyjama, qui fleure le savon, qui se met à genoux au pied de son lit pour faire sa prière du soir. Tout seul.

Je sais qu'il m'entendra. Et je connaîtrai enfin sa chaleur.

CRÉDITS

Exergue : Benoit Jutras, *Nous serons sans voix,* Les herbes rouges, 2002 ; citations de Charlotte Brontë, *Jane Eyre,* traduction de Charlotte Maurat, © Librairie Générale Française, 1964 ; la citation de Emily Jane Brontë a été traduite par l'auteur.

La nouvelle *Le pont* a paru dans la série *Romans d'une ville* de la revue *Autrement,* en mai 2004.

TABLE

OUVRAGE RÉALISÉ PAR
LUC JACQUES, TYPOGRAPHE
ACHEVÉ D'IMPRIMER
EN FÉVRIER 2006
SUR LES PRESSES DE
MARQUIS IMPRIMEUR INC.
POUR LE COMPTE
DE LEMÉAC ÉDITEUR
MONTRÉAL

DÉPÔT LÉGAL
1re ÉDITION : 3e TRIMESTRE 2005
(ÉD. 01 / IMP. 03)